Clipperton
l'atoll du bout du monde

Jean-Louis Étienne

Clipperton
l'atoll du bout
du monde

Seuil / 7ᵉ Continent

ISBN 2-02-084566-0

© Éditions Septième Continent / Éditions du Seuil, octobre 2005

Le Code de la propriété intellectuelle interdit les copies ou reproductions destinées à une utilisation collective. Toute représentation ou reproduction intégrale ou partielle faite par quelque procédé que ce soit, sans le consentement de l'auteur ou de ses ayants cause, est illicite et constitue une contrefaçon sanctionnée par les articles L. 335-2 et suivants du Code de la propriété intellectuelle.

www.seuil.com

Clipperton Atoll Map

Légende :
- Îles Eggs
- Port-Jaouen
- Stèle
- Camp de Base – Bosquet de Bougainville
- Mouillage du Rara Avis
- Découverte du Coffre ++
- Point de débarquement
- Épave de chaland
- Aire d'atterrissage
- Camp des Américains
- Épave du Lily Mary
- Fosse Occidentale
- Fosse Orientale
- Trou "Sans Fond"
- Le Rocher
- Épave Costaricaine
- LAGON
- OCÉAN PACIFIQUE

Borne Géodésique :
N 10°17'31.783"
W 109°12'26.018"
Plaque :
GPS 2001
CPTN
IRD - UNC
NOUMÉA

Coordonnées : N 10°18'0, W 109°13'0

Échelle : 0 — 200m — 500m — 1km

© Septième Continent - J.L. ÉTIENNE
Expédition Clipperton - Déc. 2004 / Avr. 2005
CARTE GÉORÉFÉRENCÉE WGS84 chp. nm. ffcce
Graphisme : Camille Fresser

CHAPITRE 1

Le conteneur a disparu. La *lancha*. Départ de Manzanillo.

L'agent maritime du Havre me confirmait que son ordinateur le positionnait à Altamira, sur la côte atlantique du Mexique, et qu'il n'avait pas bougé depuis trois semaines, ce qui était impensable. Nous n'avions par ailleurs aucune information de Vasile Tudoran, notre transitaire de Los Angeles qui devait le réceptionner à Manzanillo, sur la côte pacifique du Mexique, sa destination finale. Mais où était donc passé le conteneur ?

J'avais pourtant pris toutes les dispositions pour qu'il arrive à la mi-novembre, avec une quinzaine de jours d'avance sur notre date de départ pour Clipperton, fixée depuis longtemps au 5 décembre 2004. Mais ça n'avait pas suffi : quelque chose m'échappait.

On m'avait informé de cette situation à Paris, quelques jours avant de prendre l'avion pour Manzanillo. Les deux agents maritimes, en France et au Mexique, que j'avais saisis de la gravité de la situation, semblaient impuissants à faire bouger les choses. Si rien ne se passait, l'expédition ne pourrait avoir lieu car l'essentiel du matériel se trouvait dans ce conteneur de 40 pieds : les bateaux pneumatiques, les tentes, les équipements de laboratoire, le dessalinisateur d'eau de mer, les réservoirs de gaz naturel, le matériel de plongée sous-marine, le quad et les remorques pour les déplacements terrestres...

Avant de m'envoler pour le Mexique rejoindre le bateau, j'avais informé Gérard Mallet, directeur de Gaz de France à

Mexico, et Jean-Marie Martinel, consul général de France, afin qu'ils enquêtent sur la situation : s'agissait-il d'un problème administratif, douanier ou de coutume ?

Au cours d'un déjeuner amical organisé par Gérard Mallet, dans le salon d'un grand hôtel de la capitale mexicaine, en compagnie du consul général et de quelques industriels français, j'avais présenté les objectifs de l'expédition Clipperton et profité de l'occasion pour exposer le problème du conteneur qui commençait à m'inquiéter. Jean-Marie Martinel, avec qui j'ai par ailleurs des relations amicales de terroir, m'assurait qu'il ferait son possible pour débloquer la situation. Luc Van Daele, transporteur français installé à Mexico, connaissait bien les arcanes de la douane et il apporta une explication probable : les transporteurs aujourd'hui rechignent à traverser le pays d'une côte à l'autre avec des conteneurs sous douane, car beaucoup de camions sont arrêtés et détournés par des bandes armées. Les compagnies de transport sont responsables de la marchandise et elles ne veulent plus prendre ce risque. Le directeur de Gaz de France Mexique proposa alors que le camion soit escorté par des vigiles en armes dont il garantissait le sérieux.

L'accueil chaleureux que j'avais reçu et l'attention portée à mon problème de conteneur par toutes ces personnes autour de la table m'avaient donné l'espoir qu'un déblocage rapide pourrait se produire d'un moment à l'autre. En fin de journée, je décollais pour Manzanillo, où j'allais retrouver toute l'équipe sur le *Rara Avis*, arrivé cinq jours plus tôt dans ce grand port de commerce de la côte pacifique.

J'étais attendu avec impatience car tout le monde s'inquiétait pour le retard du matériel. Normalement, tout était organisé pour que les formalités douanières d'ouverture du conteneur soient vite réglées et que tout soit à bord à mon arrivée. Nous étions loin du compte. Camille Fresser, ingénieur stagiaire détaché à nos côtés par la firme Unilever, parlait bien l'espagnol et m'assistait dans les négociations ; je comprenais ce qui était dit, mais je ne m'exprimais pas assez bien. À Manzanillo, il passait du temps dans les bureaux du port pour tenter d'extirper des informations et se faire quelques alliés. Les formalités douanières prenaient une tournure kafkaïenne pour chaque achat, même le plus dérisoire, et Camille avait jusqu'alors réussi à dédramatiser sans avoir recours au bakchich, ce qui est rare au pays du sombrero. La *propina*, comme on l'appelle ici, est une forme de contribution sociale généralisée (CSG) autogérée par le peuple, un peso pour ceci, dix pesos contre cela... On ne peut cependant pas parler de système démocratique, car celui qui ramasse le plus est celui qui a la plus grosse capacité de nuisance : policier, douanier, fonctionnaire, grande gueule ou autre mafieux.

Mais où était donc passé ce conteneur ? Il pouvait s'agir d'un problème strictement administratif. Le déclenchement aléatoire du feu de route au passage du conteneur l'aurait mis au rouge, ce qui entraînait une inspection du contenu. Nous avions une bonne centaine d'articles différents, chacun doté d'un code de douane particulier, et personne ne semblait disposé à se coltiner ce fastidieux boulot de contrôle. Ils auraient préféré un conteneur rempli de bière d'importation de la même marque, mais ce n'était pas le cas : il fallait tout sortir ! D'où le blocage ?

Vasile, notre agent maritime à Manzanillo, avait fait le déplacement depuis Los Angeles et venait tous les jours aux nouvelles. Impuissant, il ne cessait de dire que nous n'aurions jamais dû accepter que le conteneur traverse le Mexique sur un camion sous douane. D'après lui, la meilleure solution aurait été de l'envoyer dans un port de la côte est des États-Unis, de lui faire traverser le pays sur un train jusqu'à Los Angeles, puis de l'expédier par bateau jusqu'à Manzanillo. « Ça, c'est une voie sûre ! » répétait-il sans cesse. Cet Américain d'origine roumaine avait une annexe ici, au Mexique, et son seul objectif était de nous soutirer des dollars de toutes les manières : il faisait le rabatteur pour des restaurants, proposait des prostituées à l'équipage... Tout le monde le fuyait.

La secrétaire du consul général donnait le peu de nouvelles qu'elle avait. Encore à Paris, Elsa, ma femme, tentait de coordonner les intervenants. Luc Van Daele était entré en contact avec le directeur de la douane d'Altamira et espérait que nous pourrions recevoir la marchandise d'ici la fin de la semaine. Nous étions le mardi 30 novembre 2004 et notre départ pour Clipperton était fixé au dimanche. Les heures que je passais au téléphone ne débouchaient que sur des incertitudes. Tout en entretenant l'espoir d'un déblocage imminent, je pressentais qu'il fallait se préparer pour partir à la date prévue, même sans conteneur. Le bon déroulement de l'expédition reposait sur le respect du calendrier des rotations du bateau entre le Mexique et Clipperton ; les dates, établies avec une très faible marge, étaient fixées depuis plusieurs mois.

Je repassai une à une les différentes étapes de la construction du camp, que j'avais bien en tête. Le *Rara Avis* était déjà bien chargé du matériel que nous avions embarqué en France, à l'Aber Wrac'h : les moteurs hors-bord, les cuves pour le stockage de l'eau douce, les caisses d'outillage, un petit groupe électrogène de secours... Le bois et les tôles pour le toit seraient livrés jeudi, l'équipe de tournage emmenait un quad et une remorque loués ici. Nous avions suffisamment d'outils, de matériaux et de travail pour occuper quinze hommes pendant les quinze premiers jours, en attendant la rotation suivante qui apporterait, j'osais l'espérer, l'ensemble du matériel stocké dans le conteneur. Mais un problème de taille restait à résoudre : par quoi allions-nous remplacer les trois canots semi-rigides bloqués dans le conteneur pour débarquer sur l'île ?

Nous étions à quai tout au fond du port de commerce de Manzanillo et, du haut du mât, j'avais repéré à la jumelle quelques vieilles embarcations de pêcheurs échouées dans un terrain vague de l'autre côté de la baie. Je pris la bicyclette du bateau et partis en exploration pour atteindre ce lieu de perdition où aucune route ne semblait aller. Un chemin de terre dessiné dans un champ d'herbes folles serpentait entre de gros tas de matériaux abandonnés. Il débouchait sur un cloaque, où s'amoncelaient de vieilles plaques d'amiante et toute une machinerie rouillée récupérée sur une épave éventrée qui gisait sur la plage. Surpris de me voir arriver, un chien famélique poussa deux aboiements sans même se lever. Alerté par son gardien, un homme arriva. Je m'approchai de lui en poussant la bicyclette.

– *Buenos días, señor.*

– *Hola !* répondit-il avec un sourire accueillant.

Il avait l'allure d'un pauvre heureux dans sa caverne d'Ali Baba. Mon espagnol n'était pas assez nuancé pour lui expliquer ce qui m'avait conduit jusqu'à lui. Je l'emmenai vers les embarcations que je convoitais, trois vieilles barques de pêche mexicaines, des *lanchas*, qui semblaient vraiment en fin de vie. Vicente, qui gérait ce terrain vague, n'en croyait pas ses yeux. Quand il vit que je m'intéressais à la moins dramatique, il se mit à me vanter ses qualités marines et sa robustesse. Elle était remplie d'eau, ce qui n'est pas bon signe pour un bateau, mais Vicente m'assura qu'il s'agissait d'eau de pluie.

– Je vais la nettoyer et la mettre à la bouée ce soir, à marée haute. Revenez demain et vous verrez que la coque est bien étanche.

Je revins le lendemain avec Stan, le capitaine, et Guy, pour avoir leur avis.

En nous voyant arriver, Vicente comprit que l'affaire était sérieuse. À flot, la *lancha* avait bien meilleure mine que la veille et le fond était sec. Je me demandais qu'elle allait être la réaction de mes deux marins professionnels.

– Il y a un peu de boulot pour la remettre en état, mais elle peut encore rendre service, dit Stan, assez confiant.

Habitué à la « récup' » après trente années passées avec le père Jaouen, Guy semblait signifier à mots couverts que nous avions déniché la perle rare. Voyant bien que mes deux associés étaient satisfaits, Vicente nous invita à le suivre jusqu'à son domicile pour parler affaires. Il vivait sous la coque d'un vieux catamaran en plastique éventré, installé avec le minimum vital entre les deux flotteurs. La chambre était à l'étage, dans ce qui avait été jadis la cabine du propriétaire. On s'est vite mis d'accord sur un montant qui convenait aux deux parties, et je payai tout de suite pour ne pas avoir à discuter de nouveau sur le prix. On revint l'après-midi par la mer avec l'annexe du *Rara Avis* afin de remorquer la *lancha* jusqu'au bateau. Sam et

Manue, tous les deux moniteurs de voile aux Glénans, entreprirent la remise en état, avec un peu de résine, du papier de verre et un fond de couleur du *Rara Avis*. Le vaisseau était prêt pour l'aventure.

Nous étions jeudi soir et les nouvelles du conteneur n'étaient pas bonnes : toujours à Altamira. Dans l'impossibilité de planifier quoi que ce soit, il valait mieux partir pour ne pas risquer de perdre des jours précieux dans une attente que nous ne maîtrisions pas. Je prévins le capitaine de ma décision de quitter Manzanillo le lendemain soir. Il l'approuva sans hésitation et se sentit même soulagé ; il craignait qu'on ne s'enlise dans un entêtement stérile. Le soir, au dîner, j'informai l'équipe de la certitude de notre départ dans vingt-quatre heures. Cette décision eut le mérite de prodiguer un coup de fouet au moral des troupes : avec un plan et un calendrier bien établis, l'équipe se sentait à nouveau mobilisée. Stan donna quelques consignes pour que soient assurés le lendemain les formalités douanières, le plein de gasoil et de la cuve à eau du bateau.

Il restait mille petites choses à acheter, mais tout le monde proposa ses services. On sentait monter une excitation collective : Clipperton n'avait jamais été aussi près !

Cette douce euphorie ne masquait que provisoirement mon inquiétude sur le devenir du conteneur. Même si nous avions fait quelques avancées, rien n'avait réellement abouti en une semaine de tractations tripartites entre Paris, Mexico et Altamira. Je craignais que la pression sur l'administration ne retombe dès que nous aurions largué les amarres ; il fallait absolument que quelqu'un de l'équipe reste au Mexique. Camille était tout désigné, et je lui demandai de sauter dans un avion pour Altamira. Nous avions assez perdu de temps et d'espérances : il fallait maintenant faire front physiquement face à ceux qui, à distance, nous avaient jusqu'à aujourd'hui endormis par des *mañana* sans lendemain.

Après quelques gesticulations incompréhensibles de dernière minute à la douane du port de Manzanillo, on finit par larguer les amarres le vendredi 3 décembre vers minuit. Le pont du bateau était vraiment très encombré, nous n'aurions pas pu y mettre grand-chose de plus. J'avais prévu de tout emmener sur Clipperton en deux voyages, ce qui allait être le cas, mais avec une répartition différente du matériel. Nous partions quand même avec suffisamment d'équipement pour bien avancer dans l'installation du camp jusqu'à ce que le chargement du conteneur arrive.

La *lancha* était bien trop longue – 9 mètres – et trop lourde – plus de 1 tonne – pour être chargée sur le pont. Stan était d'accord pour la prendre en remorque derrière le bateau, d'autant plus qu'il avait l'intention de la charger des quatorze fûts de cent litres d'essence que nous emportions sur l'atoll. L'essence est redoutée par les capitaines : la moindre fuite peut provoquer très facilement un feu, et un incendie à l'essence est quasiment impossible à éteindre sur un bateau car il se propage très vite. La remorque, amarrée à un solide brêlage qui prenait la *lancha* en berceau, était rattachée au bateau par l'intermédiaire de trois vieux pneus de voiture faisant office d'amortisseurs. Un feu à éclats fixé sur un petit mât de fortune signalait sa présence dans la nuit ; il scintillait parmi les lueurs du Mexique qui s'éloignaient lentement à l'horizon. Ça y est, nous partions pour Clipperton ! Il y avait longtemps que j'attendais ce jour.

Je m'étais isolé à l'avant du bateau pour savourer ce moment tant attendu après deux années de travail acharné. L'air était doux et la lune, dans son dernier quartier, miroitait sur les eaux noires du Pacifique. C'était ma première nuit en mer depuis cinq ans. Pendant l'été 1999 nous avions, Elsa et moi, organisé des croisières polaires au Spitzberg pour sauver mon bateau *Antarctica* d'une saisie qui nous pendait au nez si nous n'acquittions pas nos dettes, dont l'acte de francisation, soixante-dix mille francs, pour arborer le pavillon français. Ce temps me paraissait loin : *Antarctica* était devenu *Sea Master* avec le malheureux Peter Blacke, assassiné en Amazonie, et *Tara* avec Étienne Bourgois, son nouveau propriétaire. J'avais souffert de me séparer d'*Antarctica* ; c'était non seulement un fabuleux bateau d'expédition, mais aussi un mode de vie. Renouer avec l'aventure maritime sur le bateau du père Jaouen me donnait l'impression d'une continuité. J'avais été médecin à ses côtés sur le *Bel Espoir*, son autre bateau, sur lequel il emmène des jeunes en difficulté, socialement et personnellement. Nous avions toujours conservé des liens très étroits, ce qui me donnait maintenant le sentiment agréable d'être en famille avec l'équipage du *Rara Avis*.

La loupiote de la *lancha* qui scintillait dans la nuit, cette montagne de matériel empilé sur le pont, tout ce bric-à-brac donnait à ce voyage des allures d'exode : ce désordre apparent reflétait une forme de liberté organisée qui me plaisait bien. Le bateau marchait à 8 nœuds et la vague d'étrave commençait à souffler des embruns sur le pont. Je suis allé me coucher dans le carré. Il était 8 heures du matin en France et Elsa devait déjà batailler avec nos deux petits garçons, Elliot et Ulysse. Après trente ans d'expéditions sous des latitudes souvent hostiles, quelquefois en solitaire, c'était pour moi un bonheur de vivre cette aventure en famille. Ils nous rejoindraient un peu avant Noël, quand le camp serait installé. Je m'endormis paisiblement en dessinant dans ma tête le plan de la cabane que nous allions construire au bord de l'océan.

Vers 6 h 30, le jour pointait à peine quand Manue est entrée dans le carré en criant :

— La *lancha* coule, la *lancha* coule !

En une seconde tout bascula dans ma tête. Pourquoi le mauvais sort s'acharnait-il ainsi sur nous ? Je me précipitai dehors. L'amarre s'était rompue et l'on devinait, assez loin à l'horizon, le fond de la *lancha* qui émergeait à peine de l'eau. Stan, réveillé brutalement par le changement de régime du moteur, prit la barre pour s'approcher de l'épave. Elle avait chaviré, mais les quatorze bidons d'essence étaient encore bien amarrés dessous.

— Elle n'est pas cassée, je pense qu'on peut la récupérer, dit Sam d'une voix sûre qui me fit prendre à nouveau confiance.

Sam et Manue sautèrent à l'eau pour essayer de la redresser, mais les bidons équivalaient à une tonne et demie de lest sous la flottaison. Je ne voyais pas comment ils pouvaient faire chavirer l'ensemble sans libérer les fûts. On avait par moments l'impression que la houle pouvait tout remettre d'un coup dans le bon sens, mais l'embarcation « ventousait » à la surface de l'eau. Tout ça se passait sous nos yeux. À deux reprises le canot heurta le bateau, et je craignis que nos sauveteurs ne soient écrasés contre la coque du *Rara Avis*. Je n'étais pas tranquille. Après de nombreuses tentatives, Sam et Manue réussirent à monter ensemble du même côté, la *lancha* s'inclina sur le flanc et une vague acheva le travail. Une fois redressée, elle émergeait à peine de l'eau, accrochée aux bidons d'essence qui faisaient office de flotteurs. On les hissa un à un sur le pont pendant que la motopompe vidait la barque qui remontait progressivement à la surface. Tous les points d'amarrage étaient arrachés, si bien qu'il n'était plus possible de la prendre en remorque. Hissée avec la baume du mât central, on la saisit sur le flanc bâbord. Une fois les bidons d'essence isolés sur le pont dans une zone interdite d'accès surtout aux fumeurs, on fit route à nouveau.

Après trois jours de mer sous le soleil et sans incidents, Clipperton donnait un écho sur l'écran radar de la passerelle. Le jour se levait à peine quand le rocher sortit à l'horizon, telle une grande voile grise. Les pionniers, qui ignoraient l'existence même de Clipperton, devaient un instant ressentir la crainte d'une confrontation imminente avec un vaisseau ennemi. Des cocotiers épars apparaissaient çà et là, délimitant en pointillé les contours de cette île si basse qui se cachait sous la ligne des brisants. Nous y étions !

Debout sur le pont, perché dans le gréement, en figure de proue sur le bout-dehors, accoudé au bastingage, assis sur le toit du carré, chacun assistait à l'apparition de cette île dans un silence général qui en disait long sur l'émotion de tous. Nous étions dans une aventure hors du commun où chaque équipier s'était impliqué – avec ses forces, ses angoisses, ses rêves, ses mobiles, ses choix, ses ambitions, ses états d'âme – tout ce qui constitue en fait l'essentiel pour chacun, des choses personnelles que j'ignorais pour la plupart, que je devinais parfois, et avec lesquelles j'allais devoir faire le ciment d'un groupe.

L'expédition pouvait commencer, tandis que le conteneur, avec l'essentiel du matériel était toujours bloqué à la douane d'Altamira, sur la côte atlantique.

CHAPITRE 2

Arrivée sur Clipperton. Recherche d'une passe.

Une inquiétude grandissante m'envahissait : et si je m'étais trompé, si nous n'arrivions pas à prendre pied sur l'île ? En cet instant précis, je me rendais compte de l'ampleur du pari audacieux que j'avais pris – asseoir toute l'expédition sur l'incertitude du débarquement.

Le *Rara Avis* faisait des allers et retours le long de la côte ouest, sous le vent de l'île, à la recherche d'une faille dans cette barrière de corail qui paraissait infranchissable. La houle du large s'échouait sans relâche sur le récif, couvrant la mer d'une écume blanche qui masquait les reliefs du platier. De la crête des vagues s'élevaient des rideaux d'eau rabattus par un alizé de nord-est bien établi. Même du haut de la mâture, il était difficile d'entrevoir le moindre passage dans cette forteresse naturelle qui entoure Clipperton. En haut du nid-de-pie, je me sentais plus que jamais au pied du mur. Stan, le commandant, sortait régulièrement de la passerelle et m'interrogeait du regard. Je répondais invariablement par un signe négatif de la tête, avec la bouche tombante des mauvais jours : rien en vue.

Pendant les deux années de préparation j'avais discuté, pris des avis auprès des marins de la Marine nationale, des Expéditions polaires françaises, des terres australes et antarctiques françaises, d'Ifremer, de tous ceux qui ont la charge de la logistique des missions dans des zones lointaines, isolées, difficiles d'accès, sans aucune infrastructure à terre. Nous étions dans ce cas de figure, mais sans les moyens maritimes ni de manutention des grandes structures nationales. Toutes les personnes d'expérience que j'avais consultées avaient conclu que ce serait délicat. Le film de ces rencontres, de ces discussions qui se terminaient toujours par : « Vous verrez bien sur place », ou : « Tout dépendra de la météo », défilait dans ma tête. Jamais personne de mon entourage n'avait été catégorique sur le choix de la solution offrant les meilleures chances de réussite. J'avais fini par opter seul pour un parti pris de légèreté : nous transborderions les 20 tonnes de matériel grâce à une noria de canots pneumatiques entre le bateau et l'atoll. Pour le moment nous étions sur place, la météo était bonne… et ça ne marchait pas.

La côte au vent, que j'avais expérimentée avec la Marine à l'occasion d'un voyage de reconnaissance en mai 2003, était impraticable, submergée par des trains de déferlantes alimentés par la grande houle du Pacifique. Les alizés de nord-est étaient trop bien établis pour qu'on puisse espérer la moindre accalmie dans les mois à venir. Il fallait impérativement investiguer la côte sous le vent de l'atoll. La carte du service hydrographique de la Marine, dont les levées datent de 1935, mentionne un point de débarquement, mais rien de bien évident. C'est probablement à cet endroit que les Américains avaient échoué leurs chalands quand ils s'étaient installés de ce côté-ci de l'île. Mais c'était en 1944, et en soixante ans le profil du récif avait pu changer : le corail pousse inlassablement d'un à deux centimètres par an et, de plus, il n'est pas rare que les gros cyclones ébranlent l'architecture des barrières coralliennes. Ce passage n'était apparemment plus praticable aujourd'hui, du moins avec nos embarcations.

Sans le laisser transparaître, je commençais à douter ; je me sentais encore une fois seul, malgré toutes les bonnes volontés qui m'entouraient. Le Pr Henry, perché dans la mâture, ne cessait de crier pour être entendu sur la passerelle : « Il n'y a aucun passage dans ce secteur ! »

Que faire ? Je regrettais de n'avoir pas poussé plus loin l'hypothèse d'un gros bateau avec hélicoptères, de barges américaines abandonnées sur les berges du Mississippi, d'avion gros-porteur type Transall… Toutes ces solutions avaient été envisagées sans *a priori*, avant d'opter finalement pour la solution légère qui me paraissait la plus réaliste en termes de coût et d'adaptabilité aux conditions maritimes. Mais, aujourd'hui, nos moyens légers semblaient dérisoires face à la force des éléments. Quand la montagne se dresse devant vous, la toise de l'ambition vous écrase : qu'avais-je donc encore inventé ?

On décida alors de jeter l'ancre et d'explorer au plus près des brisants avec une embarcation pneumatique. Stan proposa d'y aller à quatre ; il choisit parmi les plus anciens – lui, Guy, Janot et moi – pour limiter les risques d'actes héroïques inopportuns, qui ne seraient d'ailleurs pas renouvelables. Stan est commandant du *Pont Aven*, un bateau de la Brittany Ferries, et pendant ses congés il donne de son temps à l'association du père Jaouen, à qui appartient le *Rara Avis*. Guy est un ancien de la même « compagnie » ; nous nous étions croisés il y a trente ans, quand j'étais médecin sur le *Bel Espoir*, l'autre bateau du père Jaouen. Janot fut un de mes équipiers sur *Antarctica*, et il est responsable des opérations maritimes de l'expédition.

L'équipage mit le canot pneumatique à l'eau et l'on se dirigea vers la ligne de brisants. Il était 11 heures du matin et le soleil cognait déjà fort. La manœuvre n'était pas sans risques : nous approcher suffisamment près sans nous faire emporter par la houle qui nous projetterait sur le récif. Assis sur les boudins du canot, nous nous laissions lentement dériver vers la côte, ballottés par la houle dont nous cherchions à connaître le rythme. Elle se propage en général par séries de vagues assez régulières, auxquelles font suite des périodes de calme relatif. À chaque accalmie, Guy faisait des approches de plus en plus audacieuses, et l'on pouvait apercevoir le platier corallien qui se découvrait légèrement. Une faille plus large et plus profonde que les autres retint un moment notre attention ; après plusieurs passages, on se rendit compte qu'elle débouchait sur des patates de corail qui barraient l'accès à la plage.

L'idée de tenter un accostage au pied du rocher me traversa l'esprit. Deux ans plus tôt, lors du voyage de reconnaissance avec la Marine, je m'étais baigné dans une zone assez calme qui pourrait éventuellement servir de « port » pour nos embarcations, à condition de pouvoir l'atteindre. Sur les photos aériennes que j'avais prises pendant cette reconnaissance, on devinait que l'ancienne passe pour entrer dans le lagon devait se trouvait là, mais que l'accès à la mer était barré par des amoncellements de plaques de corail. Il m'avait semblé que nous pourrions baliser un passage dans ce dédale de blocs et arriver dans cette zone calme, le fond de sable corallien remontant en pente douce sur le platier. Guy remit les gaz et se dirigea vers le rocher. Au fur et à mesure que nous avancions, la houle devenait de plus en plus haute. En arrivant au sud de l'île, le plateau peu profond soulevait d'énormes vagues déferlantes. On se fit prendre une première fois par le travers et le bateau faillit chavirer. Guy refit un tour au large pour sortir de ce mauvais pas et s'approcha à nouveau. Nous avancions au ralenti, poussés par la mer, quand un mur d'eau souleva l'arrière : le bateau partit dans un surf incontrôlable. On ne voyait rien, surtout on ne maîtrisait rien. Ce n'était pas le jour pour explorer un passage si délicat. Il ne faisait pas bon s'aventurer plus longtemps dans cette zone dangereuse. On revint au *Rara Avis*; mouillé sous le vent de l'île, il ne bougeait pratiquement pas. L'équipe nous attendait au bastingage, impatiente d'entendre le verdict de nos explorations :

– Nous n'avons rien de bien enthousiasmant à vous proposer. On va casser la croûte et on y reviendra tout à l'heure.

Au cours du déjeuner, bon nombre de suggestions d'abordage furent émises, notamment celles que j'avais écartées au cours de la préparation et d'autres irréalisables dans le peu de temps que nous avions pour installer le camp, par exemple la construction d'un pont de transbordement sur le récif. Il ne s'agissait pas de l'aventure du phosphate du début du siècle dernier, où les pionniers s'installaient pour des années ; nous venions pour quatre mois et la cadence du programme de recherche nous imposait d'être efficaces tout de suite. Michel Pascal et Olivier Lorvelec, de l'Institut national de recherches agronomiques de Rennes, étaient à bord pour une étude sur la population de rats qui infestait l'île depuis peu, et tous les jours s'avéraient précieux. Dans le même cas, un pilote de Transall et un major de l'armée de l'air étaient impatients de débarquer avec leurs équipements ; ils venaient pour expertiser l'aire d'atterrissage nivelée sur le platier corallien par l'armée américaine en 1944. Le temps qu'ils avaient à consacrer à leurs travaux était compté.

Ce déjeuner m'avait ragaillardi, immergé à nouveau dans la réalité de cette aventure maritime que j'avais engagée. La hardiesse retrouvée devait se lire sur mon visage, laissant croire à certains, qui m'interrogeaient sur le ton de la confidence, que le « chef » détenait enfin la solution. Je n'avais en fait que la foi en ce projet que je portais depuis presque trois ans et l'expérience des expéditions difficiles. Ce n'était pas la première fois que les doutes ou l'imminence de l'échec me taraudaient au creux de l'estomac. Mais, de toutes les aventures passées, j'avais appris que la persévérance est la seule voie, dans la mesure où la vie des hommes n'est pas en danger. Le beau temps était avec nous et il ne fallait pas mollir.

L'observation des vagues en direction de la cocoteraie, où nous devions installer le camp, permettait d'entrevoir un point faible dans la barrière corallienne. On décida de poursuivre l'investigation. Nous longions au plus près la ligne de brisants qui nous séparait du récif. Arrivés à la hauteur du bosquet, nous n'avions rien vu qui justifie une exploration approfondie. La proximité des cocotiers, à moins d'une encablure, ne faisait qu'attiser notre frustration : le but si proche restait toujours inaccessible. Au-delà, vers le nord, la hauteur des vagues ne permettait aucun espoir de débarquement. Que faire ?

Janot insista pour que nous revenions sur ce semblant de passe que nous avions aperçu au tout début et abandonné bien trop vite à son goût. Avec davantage de maîtrise, Guy s'approcha très près du récif. Nous étions à marée basse et le platier corallien couvert d'algues rouges se découvrait à chaque accalmie. Il était creusé d'étroites veines profondes, perpendiculaires à la côte. L'une d'elles nous parut plus large et d'un accès plus dégagé que les autres. À chaque mouvement de l'océan, l'eau s'y engageait avec force et ressortait avec autant d'impétuosité. Janot, qui avait revêtu sa combinaison de plongée, décida malgré tout de se mettre à l'eau. Nageur expérimenté et doté d'un bon coup de palme, il perdit pourtant la maîtrise dans ce flux d'eau qui le précipita sur la pierre rouge abrasive. Je m'inquiétais pour lui car les blessures de corail sont douloureuses comme des brûlures et elles mettent du temps à cicatriser. La mer descendit et on l'aperçut accroché à un bloc de corail. Son mollet tout ensanglanté laissait entrevoir la puissance du choc. Il nous fit signe du pouce que tout allait bien et qu'il voulait continuer. Mais la mer sans répit l'emporta à nouveau dans la brèche. Il disparut quelques secondes interminables et sa tête refit surface dans les eaux peu profondes du platier. Il était passé. Le bruit de la houle nous empêchait de communiquer et il continua à pied jusqu'à la côte. Arrivé sur le sable blanc, il se tourna vers nous et leva une palme en guise de victoire – l'autre avait disparu dans le combat avec la mer. Il se mit à marcher sans autre objectif apparent que prendre pied sur l'île, puis il revint vers nous. Il avait tantôt de l'eau jusqu'au mollet, tantôt jusqu'au ventre : le fond était irrégulier, couvert de plaques de corail. Parvenu au goulet, le flux le fit sortir très vite, si bien qu'il arriva sans nager jusqu'à nous. Il ne voulut pas monter à bord.

– Le passage est assez large et profond pour nos canots, mais il se termine par une chicane plutôt raide et étroite. Il faudra bien la négocier, sinon nous allons y laisser beaucoup d'hélices. De toute façon il faudra passer à marée haute.

Il me semblait assez essoufflé et je me doutais qu'il devait avoir pas mal de contusions sous sa combinaison de plongée.

– Tu ne veux pas monter pour souffler un peu ?

– Non je préfère marquer le passage tout de suite, passez-moi la bouée.

Nous avions à bord un flotteur de pêcheur accroché à un lest de 15 kilos par une corde de 10 mètres.

– Tu ne vas pas pouvoir nager tout seul avec un tel poids, il vaudrait mieux revenir au bateau pour s'équiper et y aller à deux plongeurs.

– Non, non, il faut le faire tout de suite. On risque de ne pas le retrouver, d'autant que la marée remonte.

Janot partit en coulée avec son poids. On suivait sa progression au déplacement de la bouée et à sa tête qui revenait régulièrement chercher l'air à la surface.

Quand la marque lui parut suffisamment proche de la passe et le plomb bien accroché au fond, il revint à bord. Il était fatigué.

– Je crois qu'une bonne partie du travail est faite, dit-il d'un air satisfait. Maintenant, reste à passer avec un canot. Il faudra revenir plus tard, quand la marée sera plus haute.

Nous sommes retournés sur le *Rara Avis* très satisfaits de cette avancée.

En arrivant à bord, Benoît me dit que le téléphone Iridium avait sonné deux fois. C'était un message d'Elsa qui avait une proposition d'aide pour sortir le conteneur, de la part de notre partenaire Unilever. Je la rappelai sur son portable.

– Allô, comment ça va ?

– Ce n'est pas facile car tout s'accumule avant le départ, il faut boucler pas mal de choses que tu as laissées en suspens, et les enfants sont tous les deux malades. Je suis épuisée et il me tarde d'arriver. Je t'appelais pour te dire que j'ai fait part du blocage du conteneur à Alain Justet, le président d'Unilever France. Comme ils sont de gros importateurs au Mexique, il va en parler à son homologue en Amérique pour essayer d'activer leur réseau avec l'administration douanière.

La réception était instable, à peine audible, mais j'avais compris l'essentiel.

– Merci, c'est effectivement une bonne piste. Allô ? Allô ?

– Oui, Jean-Louis, vas-y, je te reçois.

– Ici nous sommes confrontés à un autre problème : on n'a pas encore trouvé la passe, et ce n'est pas donné…

Silence.

– Allô ? Allô ?… Tu me reçois ?

Rien.

On pouvait difficilement se parler, c'était très frustrant. Elsa se démenait comme un diable pour nous sortir de ce cul-de-sac. Je savais que je pouvais compter sur sa perspicacité et son acharnement, qu'aucune piste ne serait négligée. Une fois raccroché, je me retrouvai à nouveau brutalement pris par les préoccupations locales.

Depuis le bateau l'équipage avait suivi les repérages et Janot avait raconté son exploration. Il revint vers moi :

– Il me semble que la *lancha* serait mieux adaptée que les canots gonflables pour cette passe avec de fortes vagues.

La *lancha*, cette vieille embarcation de pêche mexicaine, était profilée avec un arrière galbé pour bien surfer sur la vague. Équipée d'un moteur hors-bord de 40 chevaux à barre franche, elle se maniait facilement et répondait tout de suite dès qu'on mettait les gaz. Janot proposa d'essayer le passage avec Sam, en fin d'après-midi, quand la marée serait haute. Sam, moniteur de voile aux Glénans, avait rejoint bénévolement l'expédition comme équipier. Il avait déjà fait preuve de son allant et de ses compétences marines.

Nous considérions cette passe avec un certain optimisme. Le matériel pouvait être amené à terre par des allers et retours de canots, mais les quatre tonnes de planches et de madriers de construction embarquées au Mexique étaient impossibles à décharger là. Bernard Garibal, charpentier de son état et spécialiste de la restauration des moulins à vent dans le Sud-Ouest, prit la parole haut et fort comme à son habitude :

– On va pas s'emmerder à charrier 4 tonnes de bois qui flotte. Il faut le balancer à la mer et la houle fera le boulot jusqu'à la côte !

J'avais confié à Bernard deux constructions en bois : le lieu de vie – cuisine et réfectoire – et la cabane familiale. En bon professionnel, il voulait savoir de quel bois il pourrait disposer et il était venu à Manzanillo, notre port de départ au Mexique, pour un voyage de reconnaissance. Il voulait du bois sec, si bien qu'il l'avait commandé six mois à l'avance.

– C'est moi qui l'ai choisi, ce bois, je peux vous dire qu'il flotte, prit-il à partie la compagnie qui doutait un peu de la formule. Hé, les mecs, j'ai prévu le coup ! Dans la scierie où je l'ai acheté, il y avait toutes sortes de bois exotiques mexicains très denses ; alors j'ai demandé au gars qu'il m'apporte une bassine avec de l'eau. Il a mis du temps à comprendre et quand il m'a vu tremper les bouts de bois et que je lui disais : pas celui-là, pas celui-là, pas celui-là… pour ceux qui coulaient, il a compris ce que je voulais. Et il est allé me chercher du pin et du cocotier. Et ça, ça flotte. Alors je peux vous assurer qu'on peut les balancer à la mer.

Je connaissais son idée, nous en avions parlé pendant la préparation, mais elle ne pouvait s'appliquer que sur la côte est, à l'endroit précis où la barrière de corail s'interrompait.

— Je propose de faire un essai maintenant avec quelques planches avant de tout mettre à l'eau, pour s'assurer qu'elles arrivent bien à la côte, que le courant ne les emporte pas ailleurs, ce qui serait dramatique.

On leva l'ancre aussitôt et l'on fit route de l'autre côté de l'île. Janot et Sam décidèrent de rester là pour tenter la passe avec la *lancha* quand la marée serait haute.

On arriva au sud-est de l'île, à l'endroit que nous appellerons le « camp des Américains », car on y trouve des stocks de munitions et des engins de guerre datant de 1944. Une nouvelle fois je me rendis compte que l'alizé poussait d'énormes vagues jusqu'à la côte et que toute tentative de débarquement pourrait vite tourner au drame, même pour un bon nageur. Le *Rara Avis* s'approchait peu à peu de la côte, poussé par le vent et la mer qui nous soulevait à chaque vague. Bernard et David, son compagnon de charpente, s'apprêtaient à larguer quelques poutres quand Stan leur demanda de patienter.

— Attendez, on va encore s'approcher un peu, je vous dirai quand il faudra larguer.

Très concentré, le capitaine laissait dériver le bateau vers la terre, la main gauche à la barre, la droite sur la poignée des gaz, prêt à faire arrière toute.

Quand il sentit que la limite était atteinte, il donna l'ordre de jeter le bois et il fit marche arrière jusqu'à une zone de sécurité. Du haut du mât on surveillait la progression du bois qui avançait lentement. Ce n'était pas facile car on le perdait souvent de vue derrière les vagues, d'autant qu'il s'éloignait, poussé par un courant traversier assez fort.

— C'est quoi, ce morceau de ferraille qui sort de l'eau ? demanda Stan qui commençait à souffler.

C'est là qu'une barge de la Navy s'était échouée au premier

débarquement. Ils avaient posé l'avant sur la plage et après quelques descentes de matériel lourd, le courant l'avait fait pivoter jusqu'à la coucher parallèlement à la côte. Le remorqueur qui l'accompagnait n'avait rien pu faire pour la redresser, et elle avait fini engloutie par les flots. Il ne restait aujourd'hui que ce bloc de métal qui émergeait des vagues, poli par la houle incessante.

– Ça y est, le premier madrier est à terre ! hurla Bernard depuis le nid-de-pie. Il a fait du chemin, y a un sacré courant, il faudra larguer plus au nord si on ne veut pas perdre le matos !

Le test était concluant, nous reviendrions le lendemain pour la grande manœuvre. On fit route vers le mouillage dans les eaux calmes, sous le vent de l'île. À notre arrivée, Janot et Sam étaient assis tranquillement sur la *lancha*, ballottée par la mer.

– Ça y est, on a réussi à débarquer et la *lancha* passe très bien, dit Janot d'un air sérieux qui masquait son immense satisfaction.

Janot avait passé dix-sept ans de sa jeunesse dans les sous-marins et il avait appris à contrôler l'expression de ses émotions.

– Hourra ! se mit à hurler tout le monde. Bravo, les gars !

Janot tempéra aussitôt notre enthousiasme :

– On peut passer avec les bateaux chargés, mais seulement s'il y a de l'eau ; les sorties en mer seront limitées aux heures de marée haute.

Peu m'importait, ces paroles rassurantes m'allaient droit au cœur. C'était un immense soulagement. Nous allions enfin pouvoir descendre le matériel à terre. L'expédition se ferait. Je me sentais léger. Le rêve asphyxié par ces incertitudes reprenait son souffle. J'éprouvais la même euphorie qu'à la sortie des glaces de la mer de Ross, au pôle Sud. En 1993, avec le bateau *Antarctica*, la banquise nous avait emprisonnés pendant trois semaines, mettant en péril toute l'expédition avant même qu'elle ait atteint le pied du volcan Erebus, sa destination.

Comme le pôle Nord ou l'Antarctique, Clipperton a cette force d'attraction des choses inaccessibles qui conduit à des engagements passionnels, avec leur part d'aveuglement, de risques et d'impondérable.

La communication n'était pas très bonne, mais je devinais que Camille avait vu le conteneur de ses yeux. Il me semblait aussi comprendre qu'il n'avait pas pu entrer dans l'enceinte du port car il portait un short et des tongs – sûrement pour des raisons de sécurité ? La bonne nouvelle est que le conteneur n'était pas égaré dans un port d'Asie ou d'Amérique du Sud, comme on aurait pu le craindre.

CHAPITRE 3

Débarquement du matériel. Largage du bois. Radeau sur le lagon.

Nous manquions d'éléments pour établir l'horaire des marées dans cette zone isolée du Pacifique. Notre logiciel donnait comme valeur la plus proche celle des Revillagigedo, des îles mexicaines situées à 600 milles au nord-ouest. Ce mercredi 8 décembre 2004, la marée devrait nous permettre de travailler toute la matinée de 7 à 11 heures.

Pendant la traversée, la mise au sec de la *lancha* avait permis de diagnostiquer un trou sous la flottaison au niveau de l'étrave. Le coqueron avant, censé être étanche, s'était rempli d'eau, si bien que l'embarcation piquait du nez au lieu de monter sur la vague. C'est certainement ce qui avait provoqué son chavirage. Après quelques réparations minimales, elle reprenait du service ce matin. Depuis quand n'avait-elle pas navigué, allait-elle tenir sous le poids du chargement qui l'attendait, n'allait-elle pas s'éventrer dans des chocs inévitables contre le corail dans cette passe difficile ? J'avais une totale confiance dans cette équipe naissante, mais je me posais secrètement ces questions matérielles, comme pour exorciser le mauvais sort : tout dépendait d'elle.

Après le premier débarquement, Janot et Sam, qui avaient repéré la passe en tandem, me confirmaient que la *lancha* était un bon bateau :

– Avec près de 500 kilos de charge, le cul se lève bien et elle est stable dans le surf, me dit Sam, très confiant.

– Le problème est surtout pour le retour car la vague est assez raide, mais elle passe bien ; c'est une perle, ajouta Janot en souriant.

La majeure partie de mon équipe avait débarqué sur l'atoll pour assurer le déchargement et emmener le matériel à terre. L'équipage du *Rara Avis* ne comptait pas ses efforts pour charger la *lancha*. L'annexe pneumatique du bateau participait au transport des petites charges. Les pilotes avaient rapidement pris confiance dans les entrées et sorties de la passe. Le rodage rapide de tous ces rouages avait accéléré la cadence du débarquement, si bien que le pont se dégageait plus vite que nous l'avions prévu.

À deux reprises, le moteur de la *lancha* talonna et la barque s'immobilisa, échouée sur le corail. Elle se mit en travers de la lame et faillit chavirer avec toute la charge. La grosse vague qui suivait la souleva et, par chance, la remit à flot. Janot comprit qu'il ne fallait pas insister. Dans ce trop-plein de confiance et d'énergie, personne ne s'était rendu compte qu'il était l'heure de s'arrêter et que, si l'on n'y prenait pas garde, l'exercice pouvait devenir dangereux. Il fallait s'y faire, et il n'était pas inutile de le rappeler : nous dépendrions jusqu'au bout des heures de marée pour les sorties en mer. Il fallait maintenant attendre ; ce devrait à nouveau être favorable entre 17 et 19 heures.

Depuis le pont du bateau, je distinguais le quad qui progressait lentement sur le platier, tirant sur sa remorque une grosse charge en direction de la cocoteraie. Cet événement – car c'en était un – était l'aboutissement d'une longue chaîne logistique qui avait commencé en France, à l'Aber Wrac'h, au nord-ouest de la Bretagne, où nous avions réuni tout le matériel de l'expédition. Une partie avait été chargée sur le *Rara Avis*, celle que nous débarquions en ce moment, et l'autre emportée dans un conteneur de 40 pieds qui se trouvait toujours bloqué à Altamira.

Vers midi, Manue, la cuisinière du bord, nous a servi un bon repas et, peu après, nous avons remonté le mouillage : direction la côte est pour jeter à l'eau les planches et madriers répartis sur le pont. La mer était aussi forte que la veille et Stan renouvela son audacieuse approche afin que le bois ne se disperse pas trop. Il se mit légèrement plus au nord afin de s'éloigner de la pointe sud-est de l'atoll; si le courant emmenait notre chargement jusque-là, une partie pourrait être entraînée vers le large. Quand il jugea qu'il ne pouvait s'approcher au-delà sans risquer de se faire drosser à la côte, Stan donna l'ordre de lancer par-dessus bord. Tout le monde s'y mit avec beaucoup d'entrain. Le bois s'accumulait à l'abri du vent et de la mer sur le flanc tribord du bateau. À chaque marche arrière que Stan faisait pour s'éloigner du récif, les amoncellements de bois étaient disloqués par les vagues et se dirigeaient lentement vers la côte. En une heure, le pont, dégagé de tout le bois de construction, avait retrouvé la patine de l'iroko dont il était fait. On pouvait à nouveau marcher pieds nus sans craindre les échardes.

Les premières poutres poussées avec force par les vagues s'échouaient sur la plage, suffisamment haut pour ne pas être reprises par la mer. Je m'inquiétais par contre pour les planches de bardage en cocotier, une essence fibreuse, fragile, hydrophile; alourdies par le poids de l'eau, elles se plantaient à la verticale dans le sable. Je craignais que beaucoup ne se cassent. Il suffisait maintenant de laisser la mer faire son travail. Nous sommes revenus au mouillage de l'autre côté de l'île. À 17 heures, comme prévu, la noria des canots de débarquement a repris jusqu'à la nuit.

À cette cadence, le débarquement du matériel et l'installation à terre de l'équipe pouvaient être terminés le lendemain soir. Aussi, à la première rotation du matin, la priorité devait être donnée au transport de l'eau douce car l'opération risquait d'être assez longue. Nous étions sur une île déserte, sans eau, la principale nécessité à cette latitude tropicale. Ce sujet de première importance avait été longuement exploré pendant la traversée car nous n'étions pas dans le schéma d'installation initial. Notre dessalinisateur étant dans le conteneur; nous ne disposions pas d'une autre solution qu'emmener sur l'île des réservoirs d'eau produite par le dessalinisateur du *Rara Avis*, notre seule source. L'eau du lagon était un bouillon de culture bactériologique qu'on aurait pu désinfecter, mais elle était bien trop saumâtre, près de 5 grammes de sel par litre, pour être consommée longtemps. L'eau de pluie était trop rare les mois d'hiver pour qu'on compte dessus. Nous devions emmener l'eau douce pour quinze personnes jusqu'au retour du bateau, dans une quinzaine de jours. En tablant sur une consommation minimale de 10 litres par jour et par personne, boisson et cuisine comprises, nous avions estimé notre besoin minimal à 2,5 tonnes pour deux semaines. Les quatre cuves de 1 mètre cube prévues pour le château d'eau étaient à bord. Il fallait donc en remplir trois et les transporter sur l'atoll. Le chargement d'une cuve pleine du bateau sur la *lancha* pouvait se faire sans trop de difficultés en utilisant la baume du grand mât. Par contre, la décharger et la monter ensuite sur la grève était impossible à réaliser à la seule force du poignet. Nous ne disposions pas d'outils de manutention adaptés. Comment faire alors ?

Janot proposa de transvaser, à l'aide d'une pompe électrique, une cuve pleine amenée à la côte par la *lancha* dans une cuve vide installée sur la remorque du quad et de l'emmener au camp. Il suffisait de faire trois fois l'opération pour avoir trois cuves pleines d'eau au camp. Le principe fut adopté pendant la traversée et nous avons tout de suite commencé à remplir les cuves en dehors des heures de production d'eau douce pour le bateau. Tout était donc en place pour le lendemain.

Au petit matin on descendit au palan la première cuve pleine sur la *lancha*. Arrivée à la côte, la pompe électrique, activée par le groupe électrogène de secours, commença son transvasement dans la cuve vide posée sur la remorque. Une fois pleine, on la transporta jusqu'à la cocoteraie. On renouvela trois fois l'opération, ce qui prit une bonne partie de la journée. Restait encore quelques dernières charges à descendre à terre avant la nuit et le débarquement serait terminé.

En nous y mettant tous vaillamment, il nous avait fallu deux journées d'un travail acharné pour débarquer 15 tonnes d'équipements sur l'atoll.

Ce 9 décembre 2004, jour de mes cinquante-huit ans, je notai sur mon journal de bord quelques mots succincts :

> Clipperton est vraiment bien gardé par le récif corallien et la houle. Après toutes les incertitudes sur l'accès à l'île, trouver une passe a été un soulagement. Gros chantier, cette expédition. Le débarquement a été un grand moment, des hommes investis à fond, un énorme travail et une belle ambiance. L'équipage du *Rara Avis* a été d'un soutien sans faille.

À 20 heures, à la vacation téléphonique, Camille me souhaitait un bon anniversaire… ce qui était gentil de sa part, et il ajouta dans la foulée :

– Il y a un beau cadeau pour toi : le conteneur a été chargé sur un camion en fin d'après-midi et il devrait quitter Altamira dans quelques heures.

Je hurlai de soulagement :

– Hé, les gars, le conteneur est sorti !

– Hourra ! répondit tout le monde.

– Camille, est-ce que tu as informé Elsa ? Je l'ai eue dans l'après-midi et elle n'avait aucune certitude.

– Oui, je l'ai réveillée il y a quelques heures, en pleine nuit à Paris, mais ça en valait la peine. Elle a dû se rendormir soulagée.

Soulagés, nous l'étions enfin. Merci à tous ceux qui ont œuvré à ce déblocage vital pour l'expédition. Camille était toujours au bout du portable :

– Tu as compris les raisons de ce blocage ?

– C'est compliqué, je t'expliquerai de vive voix. Jean-Louis, tu sais quand le *Rara* sera à Manzanillo ?

– Dans la journée du 14.

– Je vais y aller dès demain, pour voir la douane et préparer l'ouverture du conteneur.

– OK, Camille. On se contacte lundi 13 vers 20 heures.

– À lundi. Salue toute l'équipe, dit-il d'une voix à peine audible.

Nous pressentions tous que la journée du lendemain ne serait pas une partie de plaisir : collecter le bois dispersé sur la côte et le ramener au camp allait être pénible sous le soleil.

L'équipage du bateau avait promis de venir nous donner un coup de main. Gérard, qui avait été voir sur place, était surpris par l'étalement des madriers et des planches sur plus d'un kilomètre ; il pensait que ramener 4 tonnes de bois au camp sur la remorque du quad allait prendre plusieurs journées car le sol était très meuble ou chaotique. Bernard, qui revenait d'une pêche à la sagaie avec un baliste et une grosse carangue pour le dîner, se joignit à la conversation. Il s'agissait du bois, son domaine, et il avait son mot à dire, d'autant qu'il avait lui aussi été voir de l'autre côté.

– Hé, les gars, ce bois, il flotte, je l'ai choisi pour ça. Alors demain on va le ramener par le lagon en faisant un radeau. Et même, je vous dis qu'on n'aura pas besoin de le tirer avec le Zodiac, c'est pile dans le sens du vent. Avec une grande bâche on va faire une voile et demain soir je vous garantis que tout sera livré. Il faut y aller avec trois ou quatre grosses sangles à cliquets pour tenir l'ensemble et des cordes pour haubaner le mât. Surtout, il faut être nombreux pour porter le bois de la plage au lagon ; il y a bien 100 mètres et le sol est miné par les crabes, on s'enfonce jusqu'aux chevilles.

L'affaire était réglée, il suffisait de s'exécuter.

La première manœuvre, tôt le matin, fut de faire passer le Zodiac du *Rara Avis* dans le lagon. Puis une douzaine de personnes prirent place dans le canot pour traverser jusqu'au camp des Américains. Je les rejoignis vers 11 heures. En arrivant dans la zone, je vis Bernard et David, debout sur l'eau, qui empilaient les planches et les madriers qu'on leur faisait passer. Le radeau se construisait au fur et à mesure des approvisionnements. Ils s'arc-boutaient chacun sur une longue perche pour le pousser d'un tas de bois à l'autre, que les porteurs ramenaient du bord de mer.

Quelle idée géniale ! Bernard vit très près de la nature, dont il sait toujours tirer parti avec efficacité. J'étais heureux de l'avoir amené sur ce projet, pour sa franche camaraderie, sa compagnie vivante et sa capacité à entraîner les autres au travail.

À mesure que le radeau s'épaississait, il devenait plus difficile à déplacer. Le fond s'échouait dans la vase et s'accrochait aux « branches » d'une végétation aquatique solidement enracinée. Michel Pascal se mit à l'eau pour les aider à le déhaler avec une corde qu'il enroula autour de ses épaules. Le spectacle était surprenant ; Bernard et David debout sur le radeau, alors que Michel tirait une corde dans une eau boueuse et nauséabonde qui lui arrivait à la poitrine, parfois plus haut ; on se croyait au temps des galères, à part que Michel trouvait cela très amusant et qu'il arborait son sourire habituel.

Vers midi, il faisait un soleil de plomb ; tout le monde dégoulinait de sueur. Heureusement, le vent soufflait de la mer, ce qui nous rafraîchissait. On fit un pique-nique sous l'ombre rare de quelques cocotiers épars. Après quoi la sieste s'imposa à tous. Je m'éloignai pour téléphoner à Elsa. Je lui avais laissé quelques dossiers à clôturer et pas des moindres. Il fallait aussi trouver une nounou tout-terrain pour quatre mois, celle que nous avions depuis deux ans n'étant plus en situation de venir au dernier moment. En plus, Elsa était seule pour s'occuper des deux petits, que les premiers frimas parisiens n'avaient pas ménagés, gastro-entérite pour Elliot et bronchiolite pour Ulysse. Je la trouvais courageuse. Je n'étais pas épargné par ces soucis que le téléphone transmettait jusqu'à ce bout de terre perdu au milieu du Pacifique. Elle n'attendait pas que des conseils, mais une aide que j'étais dans l'impossibilité de lui apporter. Je l'encourageai à tenir encore huit jours, jusqu'au départ pour Clipperton.

Le plancher du radeau enfin terminé était à 20 centimètres de la flottaison et il avait plus de 1 mètre de tirant d'eau.

– Hé, Jean-Louis, c'est bien 4 mètres cubes de bois qu'on a commandés ? demanda Bernard d'un air assez satisfait.

– Oui. Tito m'a dit qu'il y en avait davantage.

– Il a raison. *À bisto de naz*[1], ça fait 6 mètres cubes, ce qui est plus raisonnable, vu le prix qu'on l'a payé.

C'était toujours ça de gagné sur la note de Vasile, notre agent à Manzanillo, qui était très « salée ».

---

1. « À vue de nez » en occitan.

On accrocha le chargement derrière le canot tracté par un moteur de 25 chevaux. La mise en mouvement du radeau ne fut pas facile, surtout qu'il fallait traverser les champs de phanérogames aquatiques qui s'enroulaient régulièrement dans l'hélice. Le poids des six hommes à bord était sans conséquence sur la masse du chargement. Une fois en pleine eau, Bernard et son équipage envoyèrent le spi de fortune. La bâche gonflée sous le vent donnait à ce tableau l'allure du *Radeau de la Méduse* de Géricault. La progression était lente, mais régulière.

En arrivant au milieu du lagon, le radeau s'immobilisa brutalement, échoué sur un haut-fond. Gérard se mit à l'eau et, debout sur le corail mort du lagon, déhala l'engin jusqu'à trouver un passage. Comme nous nous rapprochions de la côte, les échouages devenaient de plus en plus fréquents, jusqu'à ce qu'il ne soit plus possible de progresser. Quel dommage ! Nous n'étions plus qu'à une centaine de mètres du point d'accostage et le soleil commençait à décliner. Il suffisait logiquement d'alléger progressivement le radeau jusqu'à ce qu'il franchisse le haut-fond. Mais comment enlever 50 centimètres d'épaisseur de bois sans désolidariser l'ensemble ? Tout le monde se mit à l'eau pour chercher un enchaînement de passages profonds. On progressait à grands coups de « Ho, hisse ! ». Chaque obstacle franchi était autant de travail musculaire et de temps économisé. À 10 mètres de l'arrivée, Olivier Lorvelec se mit à l'eau et disparut debout dans un bouillon marron nauséabond. Il refit surface, la tête couverte de matières organiques en décomposition. Il se cramponna au radeau pour respirer un grand coup.

– Il y a 50 centimètres de vase épaisse, j'avais du mal à m'en dégager, comme dans les sables mouvants.

Il s'en sortait bien et son plongeon nous apportait la preuve qu'il y avait assez d'eau pour emmener le radeau jusqu'au bord.

Nous étions vannés, fourbus, moulus, mais cette longue journée épuisante sous le soleil se terminait dans l'allégresse collective. Tout le matériel était maintenant réuni à proximité de la cocoteraie. L'installation du camp allait pouvoir commencer. D'abord les constructions en bois : le château d'eau, la cuisine, le réfectoire et la cabane familiale. Les bâtiments en toile – dortoirs, local technique et laboratoire sec – devraient attendre l'arrivée du conteneur. Une nouvelle étape décisive venait d'être franchie et Patrick, le cuisinier, ouvrit une bouteille pour fêter l'événement.

CHAPITRE 4

Installation du camp. On a retrouvé le conteneur.

Bernard tira deux fois sur le lanceur et la tronçonneuse se mit à pétarader dans un nuage d'épaisse fumée blanche. De plusieurs coups en rafale, il lui fit prendre des tours sans ménagements et découpa sans plus attendre un vieux tronc de cocotier. Malgré sa vétusté apparente, elle avait très bien démarré ; toutes les pièces métalliques étaient rouillées après avoir tourné dans l'eau de mer glaciale de l'océan Arctique. Je regrettai un instant de ne pas avoir fait moi-même la remise en route de cet outil qui n'avait pas servi depuis plus de deux ans. Quand Bernard eut terminé sa coupe, je la pris en main avec une émotion que j'étais seul à pouvoir ressentir. Ça me faisait drôle de la retrouver sur cette île déserte : elle avait déjà une histoire. Je l'avais achetée dans le Tarn, département dont je suis originaire, à un marchand d'articles de motoculture. C'était à quelques jours de mon départ pour la mission Banquise, en 2002, une dérive arctique de trois mois en solitaire à bord du *Polar Observer*.

J'étais entré dans le magasin avec la fermeté du client qui sait ce qu'il veut :

– Bonjour, monsieur, je voudrais une tronçonneuse avec un guide de 50 centimètres.

– Monsieur, avant de vous donner une aussi longue lame, qui est pratiquement un outil de professionnel, je voudrais savoir quel type de bois vous voulez scier.

– C'est pour scier de la glace.

Alors, sans se démonter, le concessionnaire rétorqua :

– Dans ce cas, monsieur, il faut que j'appelle la maison mère.

Apparemment, la personne au téléphone ne semblait pas avoir d'avis, sinon lui conseiller de ne pas louper la vente.

– Nous allons vous la préparer tout de suite, me dit-il, attentionné.

Le souci de cet homme à mon égard était touchant, et sans le savoir il venait de donner de l'importance à cette tronçonneuse qui allait par la suite me rendre beaucoup de services sur la banquise du pôle Nord. Je m'y étais attaché ; quand vous êtes seul longtemps, vous finissez par communier avec les objets qui vous sont familiers. Bref, tout ceci n'avait d'importance que pour moi, une bouffée d'agréable nostalgie vite dissipée par les exigences du moment.

Même si celle-ci reprenait vaillamment du service, nous en avions une deuxième toute neuve que j'avais achetée au Mexique. La tronçonneuse est l'outil le plus utilisé par les charpentiers, et ils étaient trois pour construire le camp. Bernard, bien sûr, David, son élève, et Denis. Denis Conte est un vieil ami que j'ai connu dans l'Himalaya. Nous avons fait ensemble d'autres expéditions, dont un hivernage au Spitzberg. Il était venu avec moi pour le voyage de reconnaissance que nous avions fait en mai 2003, invités à bord de la frégate *Prairial* par la Marine nationale. Denis est un bon alpiniste, mais surtout un montagnard dans l'âme, ce qui lui donne ce calme efficace et une bonne analyse des situations. Il construit des chalets en Haute-Savoie, avec un goût particulier pour le travail des vieux bois qu'il sélectionne lui-même. Bernard et Denis se connaissent bien, ils se sont rencontrés plusieurs fois chez moi dans le Tarn où chacun a construit une de mes cabanes dans la forêt. Ce sont deux caractères bien trempés, l'un est exubérant, l'autre plus réservé, mais ils arrivent à bien travailler ensemble. David, le troisième charpentier, a quitté l'Allemagne à bicyclette à vingt ans, avec l'intention de se rendre en Espagne. Sur la route, s'arrêtant çà et là au gré des rencontres chez les gens qui lui offraient le gîte et le couvert, il est arrivé un soir chez Bernard, qui l'a pris sous sa coupe ; c'est là que je l'ai rencontré. Pendant la préparation de l'expédition, j'allais souvent chez

Bernard et nous parlions ensemble des cabanes de Clipperton. David, discret et attentif, n'en perdait pas une miette. Un jour Bernard m'a dit : « Ce serait bien que David vienne avec nous », et je lui ai fait confiance.

Depuis le matin, ils étaient tous les trois lancés dans la construction du château d'eau, la première des priorités. Il fallait faire un échafaudage suffisamment solide pour porter 4 mètres cubes d'eau. Ils le construisaient dans la cocoteraie, au point le plus élevé du platier ; le bas des cuves devait être à 2 mètres du sol pour qu'il y ait suffisamment de pression d'eau dans la cuisine. Pour cet étayage, la plupart des troncs de cocotiers effondrés étaient malheureusement inutilisables, rongés par l'humidité, les rats et de très gros cafards. Seule la partie inférieure des cocotiers décapités par les tempêtes tropicales était encore assez solide.

Vue de loin sur ce sol désertique, la cocoteraie donnait l'impression d'un bosquet assez dense en bonne santé ; dès qu'on s'est mis en quête de trouver des cocotiers étêtés pour la construction, on s'est rendu compte qu'il y en avait beaucoup, surtout sur la façade ouest, d'où viennent les gros coups de vent. En fin de matinée le bâti était prêt ; il fallait maintenant monter les cuves vides une à une et les remplir au fur et à mesure avec la pompe électrique. Sous le château d'eau, un compartiment était réservé au dessalinisateur, qui finirait bien un jour par arriver, et les deux autres aux douches, quand la production d'eau douce serait opérationnelle.

Pendant que les charpentiers œuvraient sur les nouvelles installations, l'autre moitié de l'équipe grattait le sol pour récupérer les dalles de béton construites par les missions Bougainville des années soixante. Entre 1966 et 1968, pendant trois années consécutives, la Marine nationale avait installé sur cette île déserte, entre la Polynésie française et l'Amérique, un détachement pour surveiller la radioactivité atmosphérique durant la période des essais nucléaires aériens du Pacifique. Cette occupation s'était faite avec des moyens logistiques lourds, ce qui avait abouti à une installation conséquente. Nous avions, Denis et moi, repéré ces dalles bétonnées au cours du voyage de reconnaissance ; je me souviens aussi que Denis avait insisté sur la nécessité d'apporter un petit engin de travaux public type Bobcat pour les dégager de tous les matériaux qui les encombraient. Je me rendais compte aujourd'hui qu'il avait raison, mais comment aurions-nous fait pour débarquer un engin pesant près de 1 tonne ? Ces dalles étaient recouvertes, sur une hauteur de 50 centimètres, de ferraille et de tôles rouillées, reste des bâtiments métalliques effondrés après quarante années d'érosion d'air marin. Le tout était fermement ficelé par de vieux fils électriques encore solides et de longues racines de cocotiers qui avaient envahi ce fatras dans ses moindres interstices. C'était un gros travail de cantonniers qui nous attendait et je compris très vite qu'on en viendrait à bout après plusieurs jours de labeur acharné, avec la persévérance de chacun ; tout le monde fut réquisitionné.

La première dalle, à l'écart de la cocoteraie, fut dégagée en une journée. Après un bon nettoyage à la motopompe avec l'eau du lagon, la signature des bâtisseurs apparut : « Le Rouzic, mai 1968. » Ces hommes isolés en plein Pacifique, très loin du front des pavés du Quartier latin, auraient pu, à leur insu, être au front plus insidieux des nuages radioactifs. Les mesures que nous avons faites pendant notre séjour n'ont mis en évidence aucune trace de radioactivité. Ces marins, des Bretons pour la plupart, qui ont aujourd'hui entre soixante-cinq et quatre-vingt-cinq ans, parlent de leur séjour sur cette île coupée du monde avec autant d'émerveillement que les astronautes à leur retour d'une expédition dans l'espace. C'est le voyage de leur vie, où s'est forgée une confrérie à laquelle ils sont fiers d'appartenir et qu'ils perpétuent par des rencontres durant lesquelles ils évoquent leurs souvenirs. Je compris, en m'entretenant avec certains d'entre eux, qu'« on ne revient pas le même de Clipperton ».

Sur cette dalle plane et bien nettoyée, les compagnons du bois commencèrent la construction du bâtiment qui allait abriter la cuisine et le réfectoire. Le chantier fut interrompu plusieurs fois par des pluies diluviennes qui s'abattirent sur nous avec violence. J'espérais que la montagne de caisses de vivres et de matériel entreposée dehors n'allait pas trop souffrir de ces orages tropicaux, mais il était difficile de tout mettre à l'abri. Le temps avait été si beau jusqu'alors que nous n'avions pris aucune disposition pour les protéger. Pourvu que rien ne soit endommagé !

La pluie ne cessa de tomber jusqu'au soir et nous prîmes le repas comme des misérables, assis sur des caisses, l'assiette posée sur les genoux. Soufflée par le vent, la pluie traversait en rafales le faisceau de nos lampes frontales. Chacun avait fourni tellement d'efforts pendant la journée qu'on ne pouvait se contenter d'une collation sur le pouce. Bravant les difficultés, Patrick avait préparé un vrai repas bien nourrissant sur une gazinière de camping provisoire installée sous une bâche entre trois tôles. Une fois l'estomac bien calé, chacun se retira sous son abri de fortune en espérant un matin meilleur.

La nuit n'avait apporté aucune amélioration, mais la température restait tout à fait confortable pour travailler dehors, même mouillé. Gérard s'était joint à l'équipe des charpentiers. Petit, trapu, discret, efficace, endurant, ingénieux, Gérard Guérin ne détonnait pas dans la galerie des personnalités de l'expédition. Il m'avait contacté quelques années plus tôt afin que je l'aide à obtenir des autorisations pour traverser la Sibérie du détroit de Béring jusqu'en Europe. Je l'avais reçu avec d'autant plus de respect que cet homme venait de traverser tout l'Arctique canadien, seul avec ses chiens. Pendant trois ans, il avait vécu en nomade, allant d'un village inuit à l'autre, faisant toutes sortes de travaux pour gagner quelques dollars, de mécanicien à gardien de prison, avant de reprendre la route. Cette autarcie polaire qu'il s'était forgée dans le plus grand anonymat forçait mon admiration. Carrossier de métier, il savait tout faire ; ses compétences multiples et sa constance au travail l'ont vite rendu indispensable.

La grande dalle en ciment de 25 mètres par 10 constituait une belle surface, mais déblayer cet enchevêtrement de câbles électriques, de racines, de vieilles tôles tranchantes, de cloisons en poussière d'amiante fut un travail de galérien. Heureusement pour nous qu'il pleuvait assez souvent, ce qui rendait l'effort sous les tropiques moins pénible. À la pelle, à la pioche, au treuil, à la tronçonneuse, à la masse... il fallut cinq jours, à six personnes, pour venir à bout de cette surface. Comme les pluies ne cessaient d'inonder périodiquement le camp, je compris que ces dalles nous seraient d'un grand secours pour l'installation des tentes – dortoir, atelier, bureau, local technique – dès qu'elles arriveraient, à la prochaine rotation du bateau.

Pendant ce temps, Hervé Henry, professeur à l'université de Bordeaux, mettait en place le circuit d'eau, un travail dont il avait fait l'étude et qui lui était échu en attendant l'arrivée du matériel de production d'électricité – panneaux solaires, éoliennes et batteries. Le schéma de circulation d'eau était assez simple. Un des quatre réservoirs serait alimenté en eau de mer. De là partiraient quatre canalisations : vers le dessalinisateur pour la production d'eau douce ; vers le laboratoire humide où l'on nettoierait les prélèvements d'échantillons sous-marins ; vers l'aquarium où l'on conserverait certaines espèces vivantes ; et vers les douches à l'eau de mer. L'eau douce produite par le dessalinisateur devait être stockée dans les trois autres cuves, d'où partaient une canalisation vers la cuisine et une autre vers trois douches qui se trouvaient sous les cuves. Sur le terrain, cela se traduisait par l'installation d'un nombre inimaginable de vannes d'arrêt, de déviations en T, de coudes en L, de bouts de tuyau, de réducteurs de diamètre... C'était un travail fastidieux, mais Hervé y mettait une grande application.

Je me rendais compte avec satisfaction que la décision de partir avant la réception du conteneur avait été judicieuse. Il paraissait *a priori* impensable de commencer à installer le camp sans les équipements essentiels, mais en fait nous ne perdions pas de temps, nous ne faisions que des choses indispensables et à un bon rythme.

Une fois terminés, la cuisine et le réfectoire attenant avaient une allure de « saloon » au milieu du désert. Deux grandes tables en pur coco pouvaient accueillir quatorze personnes chacune. Les pieds très imposants en vieux troncs de cocotiers tout gris ressemblaient à des pattes d'éléphant, ce qui donnait un style safari à ce meuble construit à la tronçonneuse et au marteau. Il valait mieux choisir la bonne disposition des tables du premier coup, car chaque déplacement ne nécessitait pas moins de six personnes et fragilisait le meuble ; sous leur poids, les pieds avaient tendance à s'arracher du plateau.

– C'est pas du bois, ce putain de cocotier, c'est de la courge ! criait Bernard régulièrement.

Il est vrai que le débit de bois ne prenait pas en compte la fabrication de meubles ; les planches en cocotier étaient destinées au bardage du « bar-restaurant » et de la cabane familiale.

Depuis notre arrivée, je recherchais quel serait le meilleur emplacement pour cette cabane dont je rêvais depuis longtemps. Il fallait un espace de 7 mètres sur 5, libre de cocotiers vivants, et je prenais mon temps. Je voulais offrir à Elsa et à nos deux enfants, Elliot et Ulysse, le plus bel endroit ; il y avait deux ans que j'y pensais. Mon premier rêve était une cabane sur l'eau et j'en avais dessiné deux : l'une sur pilotis reliée à la terre par une passerelle, l'autre sur un ponton flottant que l'on pourrait déplacer à dessein avec un petit moteur hors-bord. Mais ces habitats lacustres n'étaient finalement pas réalistes à cause du jeune âge des enfants. Lors du voyage de reconnaissance, j'avais repéré un emplacement à l'orée du bois, sur le bord du lagon. Les premières lueurs de l'aube viendraient nous y cueillir au petit matin et nous serions à l'ombre vers midi, quand le soleil commencerait à devenir insupportable. J'étais reparti avec ce coin charmant dans ma tête qui nourrissait mes rêves. Mais au cours de ce passage éclair, je n'avais pas pu me rendre compte à quel point le lagon pouvait sentir mauvais certains jours ; c'est donc côté océan que je me suis mis à chercher. Il y avait quelque chose d'irréaliste et de jouissif à choisir l'emplacement et l'architecture de sa maison en toute liberté. Dans quel coin du monde, ailleurs qu'à Clipperton, aurions-nous eu autant de latitude pour nous installer ? Ici, pas de plan ni de coefficient d'occupation des sols ; nous étions comme des gamins à qui on aurait donné la lune.

J'étais à peu près fixé quand Denis m'a rejoint sur le bout de terre que j'avais repéré. Il n'a pas fait de commentaire sur l'emplacement, il m'a simplement demandé si mon choix était définitif car les charpentiers allaient bientôt arriver. La seule chose qui m'inquiétait un peu, c'était le bruit des rouleaux qui s'échouaient sans relâche sur le récif à une cinquantaine de mètres. Mais je ne pensais pas trouver plus bel endroit. Alors je le délimitai avec une cordelette tendue entre quatre piquets.

Ils sont arrivés peu de temps après avec deux brouettes pleines d'outils et les madriers pour la charpente sur la remorque du quad.

– C'est ici ? demanda Bernard qui m'avait vu hésiter entre plusieurs sites.

– Oui, monsieur.

– Alors on y va.

La machine s'est mise en route et deux jours après je dormais dans ce qui allait devenir le refuge familial. Magnifique ! Jamais je n'aurais imaginé plus bel emplacement. Le plan était très simple : trois murs en bois pour se protéger du vent d'est-nord-est et un toit en tôle qui débordait largement pour nous mettre à l'abri du soleil et de la pluie. Les deux chambres, celle des enfants et la nôtre, étaient adossées aux murs au vent, et ouvertes vers l'ouest sur une terrasse en bois qui dominait l'océan. Cette terrasse couverte d'un large auvent était assez large pour qu'Ulysse ait une surface plane où apprendre à faire ses premiers pas. Un filet de pêche bien tendu tout autour faisait office de garde-fou. J'étais impatient de présenter à Elsa cette cabane de Robinson où nous allions passer ensemble quatre mois.

CHAPITRE 5

Arrivée de la famille. Sélection des médecins. Noël à Clipperton.

— Clipperton, Clipperton du *Rara Avis*, est-ce que tu me reçois ?

Il était aux environs de 12 h 30, heure locale, quand la voix du large retentit à la VHF. Je bondis sur la radio.

— *Rara Avis, Rara Avis* de Clipperton, je te reçois fort et clair. À toi.

— Bonjour, Jean-Louis, c'est Stan, nous ne sommes plus très loin, à une dizaine de milles, et avec le petit alizé qui nous pousse, nous devrions être au mouillage vers 14 heures, heure du bord.

— Bonjour, Stan, bonjour à tous, bienvenue, ça fait plaisir de vous entendre. Bien compris, vous serez au mouillage vers 14 heures, heure du bord. Arrivez vite, on vous attend.

C'était aussi notre heure locale. Étant un fuseau horaire plus à l'ouest, nous aurions dû changer d'heure locale pour nous caler sur le soleil, mais nous avions préféré rester à l'heure du bateau, qui était aussi celle du Mexique, ce qui simplifierait les relations. L'un des avantages d'être sur une île déserte est qu'on peut choisir son heure locale.

— Jean-Louis, à quelle heure pourrons-nous commencer le débarquement des personnes ?

— Il y aura en principe assez d'eau à la passe à partir de 16 heures. Il va falloir patienter un peu. Vous pouvez vous baigner en attendant, l'eau est bonne.

— OK, Jean-Louis, à tout à l'heure.

Cette brève communication électrisa tout le camp. Personnellement, j'étais assez nerveux, impatient de vivre ce moment auquel je m'étais préparé depuis longtemps. C'était non seulement une étape importante dans le déroulement de la mission, mais aussi la réalisation d'une expédition en famille, alors que j'avais jusqu'alors toujours fait mes expéditions en célibataire. Je n'avais pas eu de nouvelles d'Elsa depuis le départ du Mexique ; je savais seulement par *e-mail* qu'Elliot et Ulysse faisaient un bon voyage.

Les mâts apparurent à l'horizon sur la côte opposée, de l'autre côté du lagon, à la hauteur du camp des Américains. À la jumelle, ils paressaient déjà tout proches et mon esprit fut agité d'une heureuse fébrilité. Quinze jours sur cette île déserte avaient suffi à transformer cet isolement en une éternité. Le bateau était maintenant tout près, à 500 mètres de la côte.

– Clipperton du *Rara Avis*.

– *Rara Avis*, à toi.

– Nous venons lentement vers vous jusqu'à la cocoteraie avant de revenir au mouillage. Nous avons gonflé un Bombard semi-rigide équipé d'un moteur de 40 chevaux pour le débarquement. Y a-t-il du matériel que nous devons descendre en priorité ?

– Non, rien de particulier à part la nourriture. Nous allons tous nous y mettre afin de tout débarquer au plus vite.

– Je ne sais pas si tu te souviens, mais le conteneur de 40 pieds était plein, ce qui fait un volume de 65 mètres cubes, et tout ce matériel est empilé sur le pont, le pont est plein. Il faudra sûrement deux jours pour tout amener à terre.

Le bateau passa à un demi-mille de la cabane et se dirigea vers le mouillage. Il fallut encore attendre que la marée monte pour commencer le débarquement des personnes. Gagné par l'enthousiasme général et bravant les calculs de marée qui lui demandaient d'attendre encore un peu, Janot prit la barre de la *lancha* et se dirigea vers la passe. Aidé par la vague qu'il avait patiemment attendue, il réussit à sortir sans encombre pour aller se mettre à couple du *Rara Avis*. La houle faisait danser l'embarcation et, vu de terre, le transbordement ne semblait pas facile. L'équipage prit le temps nécessaire pour assurer la manœuvre en toute sécurité. Janot vint ensuite se présenter à la hauteur de la passe et resta quelque temps immobile, prenant le pouls des vagues. La *lancha* montait et disparaissait à chaque ondulation du large. Puis ce fut le moment d'y aller. Janot mit le canot dans l'axe de la passe et accéléra pour partir au surf. Poussé par la vague, le cul de la *lancha* se souleva assez haut, et j'aperçus Elsa avec Ulysse sur sa poitrine, emmailloté dans une poche-kangourou et, plus à l'avant, Elliot que David tenait par les épaules. Sur la berge je sautais de joie.

Quand la barque s'échoua, Bernard, qui s'était mis aux avant-postes pour la réceptionner, prit Elliot sur ses épaules et le conduisit jusqu'à moi. Blotti dans mes bras, il riait, il pleurait, dépassé par tant d'émotions. Que se passait-il dans la tête de ce petit garçon de trois ans qui retrouvait son père, disparu de sa vie depuis trois semaines et qu'il voyait à nouveau sur un terrain inconnu après trois jours de mer ? Elsa, qui avait sauté à l'eau, avança avec un large sourire ; les bras écartés, je l'attendais sur la berge. Ulysse, souriant comme à son habitude, me tapait de joie sur la tête. Elliot, que je portais dans mes bras, nous serrait tous les uns contre les autres, comme il le fait souvent à la maison, pour ressentir l'amour entre son père et sa mère, indispensable à son bien-être. Grand moment d'émotion, et aussi grand moment de récompense pour Elsa et moi, qui avions travaillé sans relâche sur ce projet depuis deux ans. Elsa avait aussi allaité Ulysse pendant cinq mois ; Clipperton allait, nous l'espérions, compenser au moins partiellement les congés de maternité qu'elle n'avait pas encore eu le loisir de prendre. Le climat s'y prêtait, une eau à 28 degrés et un air à la même température, soufflé par un alizé constant qui adoucissait l'écrasante chaleur tropicale du soleil ; nous étions à 10 degrés nord, à peine plus de 1 000 kilomètres au nord de l'équateur.

Nous sommes tous les quatre montés dans la remorque du quad, qui nous a conduits jusqu'au camp ; je brûlais d'impatience de faire découvrir à Elsa la cabane au bord de l'océan. Après que les charpentiers avaient fini leur travail sur la structure, Denis m'avait aidé à rendre l'abri plus douillet. Nous avions tendu du drap de lin et coton sous le toit en tôle pour adoucir le bruit de roulement permanent de la houle. Avec du bois exotique récupéré sur l'épave costaricaine et des bambous échoués sur la plage, j'avais fait des étagères dans les deux chambres et une table à langer pour Ulysse. Notre lit était surélevé sur une estrade à 30 centimètres du plancher. J'avais fait l'erreur de déléguer l'achat du matelas à la dernière minute ; au bout d'une semaine la ouate s'était incrustée dans les ressorts, si bien qu'on pouvait les compter en caressant les draps de la main. On a fini par s'y habituer. Elliot découvrait sa chambre ouverte sur la mer avec un certain étonnement ; Ulysse arpentait déjà la terrasse, dont les planches assez rugueuses râpaient la peau tendre de ses genoux sans qu'il s'en plaigne. Elsa, fatiguée par cinq jours de voyage avec les deux enfants et huit heures de décalage horaire, commençait à se détendre.

Les autres passagers arrivaient en petits groupes au camp. J'avais invité Pierre Baudy, un vieux copain miraculeusement sorti, grâce à son exceptionnel courage, d'un grave syndrome de Guillain Barré qui l'avait entièrement paralysé pendant plus d'un an. Il commençait à bien marcher seul et ce voyage en bateau avait été pour lui une véritable résurrection. Même Claude Mandion, le comptable, avait fait le déplacement. Jean Cassanet, professeur de physique et conseiller au ministère de l'Éducation nationale, s'était offert ce voyage pour apprécier le potentiel pédagogique de l'expédition. Il y avait quinze ans que nous travaillions ensemble, depuis les premiers programmes éducatifs que j'avais montés à partir du bateau *Antarctica*. Malou, la femme de Bernard Garibal, n'en revenait pas d'être enfin là, avec leur fille Enola, une copine d'Elliot ; ça faisait deux ans qu'elle participait à nos discussions quand nous parlions de Clipperton, Bernard et moi. J'aimais bien cette ambiance bon enfant pour les fêtes de Noël, une période de transition qui marquait la fin de l'installation du camp et le démarrage du programme scientifique.

Michaël Attal de l'université Joseph-Fourier de Grenoble et Christophe Hervé, minéralogiste et entomologiste au Muséum national d'histoire naturelle à Paris, arrivaient pour deux semaines de travail et ils n'avaient pas une journée à perdre. Il fallait tout de suite monter la tente du laboratoire sec, un local étanche pour installer le matériel craignant l'humidité : microscopes, ordinateurs et autres appareils électroniques de mesure. Pour cela aussi nous avions utilisé une des dalles en béton construites par la Marine en 1966. Nous l'avions découverte par hasard au milieu de la cocoteraie, enfouie sous des troncs et des branchages effondrés sur les tôles d'anciens bâtiments déchiquetées par quarante ans d'oxydation rapide. Tout à côté, à une dizaine de mètres, le laboratoire humide était construit sur de vieux murs encore solides que Bernard et David avaient couverts de tôles fixées sur une charpente en troncs de cocotiers. C'est là que les échantillons récoltés en plongée allaient être lavés et triés à l'eau de mer, sur un plan de travail que Gérard avait fait avec des tôles épaisses de récupération – d'où son nom, « labo humide ».

Il y avait aussi du monde à reloger. En attendant les tentes bloquées dans le conteneur, chacun s'était installé sur un hamac abrité sous une bâche tendue entre deux cocotiers. Au bout des quinze premiers jours, ces habitats éphémères s'étaient peu à peu personnalisés : troncs de coco en guise de banc, tables basses taillées dans des bidons en matière plastique échoués sur la plage – on a même vu flotter le drapeau corse de Laurent Albenga, plongeur et biologiste collectant les échantillons d'étude pour les scientifiques du Muséum. Le retard du conteneur, qui *a priori* menaçait l'expédition, avait finalement poussé chacun à s'adapter, à trouver de nouvelles solutions. Aussi, quand les tentes furent montées, la majorité de l'équipe déjà sur l'île choisit de rester sous les abris de fortune. Avec le temps et les usages, ils avaient tous appris à composer avec l'agilité des crabes qui grimpaient sur les cocotiers, des rats qui jouaient les funambules sur les cordes du hamac, et avec les pluies torrentielles qui s'abattaient à grand fracas et le vent qui sans cesse faisait onduler le toit tendu par des cordelettes fixées au sol. Ici, la température ne descendait pas au-dessous de 26 degrés en pleine nuit ; il suffirait seulement de se protéger de la pluie et du vent, qui venaient toujours du nord-est en cette saison.

La notion de confort est finalement très malléable. La frugalité des moyens force toujours l'imagination et l'adaptabilité des hommes d'une manière insoupçonnée. C'est en fait la crainte de l'inconfort qui nous paralyse. Bref, trois dortoirs et des lits pliants confortables étaient à la disposition de ceux qui le souhaitaient, une « capacité d'accueil » d'une trentaine de personnes. Ce n'était pas de trop car, à chaque rotation du bateau d'une durée de quarante-huit heures, il allait falloir héberger les scientifiques arrivant, ceux sur le départ et une dizaine de passagers qui passeraient la nuit sur l'île.

L'installation des bâtiments touchait à sa fin et nous avions rattrapé le calendrier des opérations. Pendant cette période, j'avais en plus assumé la responsabilité de médecin sans que j'aie à intervenir. Même s'il m'arrive de dire que « la médecine fait des progrès mais pas moi », les quatre années de bloc opératoire et de service d'urgence, suivies de quinze années de remplacements de médecins généralistes, m'avaient donné de bonnes bases. Le Dr Emmanuel Blanche, anesthésiste réanimateur, arrivait pour prendre le relais. Spécialiste de la plongée et de la pathologie d'altitude, il accompagne souvent les équipes de tournage de l'émission *Ushuaïa* de Nicolas Hulot. Après lui quatre médecins, tous plongeurs qualifiés, allaient se succéder.

Le recrutement des médecins n'avait pas été simple car l'exercice de la médecine s'est sérieusement compliqué depuis quelques années. Après une réunion préparatoire que nous avions organisée à Paris, j'avais découvert que tous les praticiens exercent aujourd'hui sous le joug d'un contrat d'assurance « responsabilité civile professionnelle » extrêmement coûteux et contraignant. Quelques jours plus tard, la question avait été évoquée et j'étais tombé des nues.

– Allô, Jean-Louis ? C'est Fred. Dis donc, mon assureur, qui vient d'apprendre que je pars avec toi pour Clipperton, me réclame une prime d'assurance supplémentaire de quinze mille euros.

– Quinze mille euros !

– Je lui ai pourtant dit que je venais faire de la plongée et qu'éventuellement je pourrais être conduit à donner des soins, mais il ne veut rien entendre. Si tu pouvais avoir un caisson hyperbare sur l'île, il serait plus souple. Ou en es-tu de ce côté-là ?

– Malheureusement, on ne peut pas avoir de caisson ; ils sont trop lourds et trop volumineux. Tu peux lui dire que nous ferons des paliers de décompression à l'oxygène pur, ce qui devrait nous mettre à l'abri des accidents de décompression si nous respectons les temps de remontée.

– Mais si tu veux assurer l'oxygène au palier pour tout le monde pendant trois mois, il faudra une centaine de bouteilles pour tout le séjour !

– Je sais, nous allons emmener quarante-huit grandes bouteilles, des B50, remplies de l'oxygène dédié à cet usage qu'Air liquide va mettre à notre disposition.

– Ça, c'est sympa et c'est une sécurité. Autre question importante : qu'en est-il des avions pour les évacuations sanitaires ?

– Pour le moment je n'ai rien trouvé. La compagnie qui voulait le faire avec un Cessna Grand Caravan n'a pas reçu l'autorisation de l'aviation civile mexicaine parce que son avion n'a pas de flotteurs. Je crois qu'il ne faut pas y compter car, en plus, le risque lié au nombre d'oiseaux à l'atterrissage et au décollage est réel.

– Bon, pas de caisson, pas d'avion, je crois qu'il va falloir préparer un véritable hôpital de campagne. Je vais voir ça avec les autres.

Il est vrai que nous étions isolés, mais bien moins que sur un bateau dans les Quarantièmes rugissants du Pacifique Sud, qu'au cœur de l'Antarctique ou au camp de base de la face nord de l'Everest. Jamais dans le passé je ne m'étais posé ces questions car chaque membre d'expédition prenait ses responsabilités et les proches acceptaient la fatalité de l'accident. Les poursuites judiciaires n'existaient pas dans ces activités à risques.

Sur Clipperton, comme les chercheurs venaient dans le

cadre de leurs activités professionnelles, et les plongées se faisant selon les directives de la médecine du travail, il fallait se couvrir contre d'éventuelles poursuites en cas d'accident, considéré dans ce contexte comme un accident du travail. Tout cela faisait une coquette somme. Nous touchions aux limites de ce qui était acceptable par notre société et il ne fallait pas le négliger. Je ne voulais pas m'exposer à devoir faire des conférences jusqu'à la fin de mes jours pour en payer le prix.

Dans l'état des moyens mis à leur disposition, les discussions entre les médecins oscillaient entre le refus d'un engagement à mes côtés, jugé trop risqué pour leur avenir professionnel, et l'envie de participer personnellement à une belle aventure. Leur venue à Clipperton reposait exclusivement sur leurs compétences médicales. La médecine était leur « passeport pour l'aventure », comme elle l'avait été quand j'avais embarqué sur *Pen Duick VI* pour la course autour du monde en 1977-1978. Tabarly m'avait pris parce que j'étais médecin. Il n'y avait d'ailleurs eu entre nous qu'un contrat moral, aucune trace écrite, aucune assurance, mais c'était une autre époque. J'étais suffisamment au fait des difficultés rencontrées dans l'exercice de la médecine aujourd'hui pour prendre en considération les préoccupations de mes confrères. De plus, j'emmenais une quarantaine de chercheurs avec ordre de mission, agissant dans le cadre de leur institution, dont certains allaient pratiquer la plongée en milieu isolé. Je n'échapperais donc pas à cette responsabilité civile. Il fallait résoudre cette question au plus vite, en commençant par vaincre mes réticences : considérer les assurances comme un dossier majeur. Ces histoires d'assurances étaient l'objet d'un vieux conflit intérieur, entre ma libre conception de l'aventure et les responsabilités que je prenais pour des tiers. J'avais donc envoyé quatre dossiers aux principales compagnies d'assurances françaises et je compris à leurs non-réponses à mes relances multiples que personne ne voulait toucher au dossier. Des confrères m'appelaient pour me donner des noms de courtiers proposant des contrats « responsabilités civiles professionnelles » à moindre coût.

Je tournais un peu en rond dans mon bureau quand, passant

devant la maquette d'*Antarctica*, il me revint en mémoire que j'avais assuré ce bateau pour des navigations engagées dans les glaces des pôles. C'était en fait le même assureur qui avait couvert les risques encourus par le matériel et les personnes qui m'accompagnaient pour la mission Banquise. J'appelai Guillaume Aldin, de la compagnie Marsh, qui m'invita à venir faire un exposé sur l'expédition Clipperton pour l'aider à évaluer les différentes catégories de risques. J'arrivai dans un grand immeuble de verre cossu, comme il y en a dans le quartier des affaires. Plusieurs personnes travaillaient dans cet espace vitré.

– Vous êtes ici dans le bureau qui a assuré les Jeux olympiques d'Athènes. Nous sommes spécialisés dans tout ce qui est événementiel, me dit-il.

Mon expédition à Clipperton ne les effrayait pas.

– Certes, il y a des risques, mais vous êtes au moins à l'abri des attentats terroristes, qui sont les plus imprévisibles, les plus meurtriers, et pour lesquels il est très difficile de faire une estimation.

Nous avons passé deux heures à décrypter tout le programme, la logistique et les moyens d'intervention en cas de pépin. Quelques jours plus tard, Guillaume Aldin me faisait une proposition, et il réussissait à convaincre le Gan Courtage de prendre à sa charge les responsabilités inhérentes aux personnes ; lui assurerait toute la logistique – bateau, conteneur, transport du matériel et des personnes. Entre-temps les deux médecins du service de santé des armées, prévus pour les deux dernières rotations, avaient obtenu un ordre de mission, si bien qu'ils ne seraient pas civilement à ma charge.

Que tous les acteurs qui m'ont aidé à trouver des solutions au chapitre « assurances » soient remerciés. L'enchaînement des péripéties et des rebondissements de ce dossier, que j'avais sous-estimé, a duré un bon trimestre. À plusieurs reprises, j'ai failli renvoyer certains de mes confrères que l'inquiétude avait défigurés, dès lors qu'ils avaient instinctivement dit oui, un oui enthousiaste, à cette aventure. Ils sont finalement tous venus, et je dois louer leur présence amicale et professionnelle qui a joué un rôle important dans l'équilibre humain de l'expédition.

Nous avions la chance, Elsa et moi, de partager Noël avec nos enfants et de nombreux amis pour lesquels être sur Clipperton un soir de 24 décembre était en soi un magnifique cadeau. Pour d'autres équipiers, la plupart pères de famille, l'exotisme ne remplaçait pas les rires d'un enfant au pied du sapin : le champagne s'était chargé d'adoucir la soirée. Elliot et Ulysse, les deux bambins de la fête, avaient reçu des cadeaux de la hotte de Michel Pascal déguisé en Père Noël maritime. Parti du pôle Nord, il avait rejoint Acapulco, où un attelage de dauphins avait tiré son radeau jusqu'à Clipperton ! Mais la fête ne pouvait pas s'éterniser, le programme des rotations du bateau et les heures de marées imposaient ce départ en plein réveillon. Quand, vers 22 heures, la sirène du *Rara Avis* sonna le départ vers le continent, ce fut un immense déchirement. Beaucoup d'amis prenaient le large, dont les participants à l'aventure de la construction du camp.

– Bar des Fous du *Rara Avis*.

– *Rara Avis*, j'écoute.

– Voilà, tout le monde est à bord, l'ancre est levée, nous allons faire route, dit le capitaine d'une voix triste.

Et il ajouta :

– On va venir au niveau du camp vous faire un dernier coucou.

Le temps d'arriver lentement jusqu'à la plage, on devinait les lumières du bateau qui était déjà là, devant nous, à un demi-mille. Impuissants dans le noir, on ne pouvait que hurler pour communiquer, et s'échanger des « Salut ! » et « À bientôt ! » quand soudain :

– Clipperton du *Rara*.

– J'écoute, dit Janot qui avait amené une VHF.

Et, sans ajouter un mot, l'équipage diffusa à fond à la radio une chanson que Sam interprétait souvent à l'accordéon et qu'on reprit tous en chœur. Chacun dans la nuit pouvait laisser couler ses larmes… Les soirées de Noël ne sont jamais anodines.

CHAPITRE 6

Ratator et les rats de Clipperton.

Même s'il s'était illustré en tirant le radeau dans la vase jusqu'au cou, façon *Apocalypse Now*, Michel Pascal était ici pour étudier les conséquences sur le milieu d'une population de rats signalée récemment sur l'île. Le bruit courait que les rats avaient envahi Clipperton. On disait même qu'ils étaient sur l'atoll depuis l'an 2000, après l'échouage d'un bateau asiatique. Quand on connaît la vitesse à laquelle se développent les populations de rats, il y avait de sérieuses raisons de s'inquiéter. Au cours de notre voyage de reconnaissance en 2003, nous en avions vu quelques-uns dans la cocoteraie. J'étais revenu convaincu qu'il fallait vite intervenir pour limiter les dégâts du rongeur sur ce petit écosystème insulaire et je m'étais mis en quête de retrouver Michel Pascal.

Aux réunions de la commission interministérielle pour la protection des régions polaires, j'avais toujours apprécié ses interventions précises et pondérées sur les dommages causés par les espèces introduites dans les îles australes. En prélevant directement dans leurs terriers plus d'un million d'oiseaux par an, les chats de Kerguelen mettaient en péril l'avenir de plusieurs espèces endémiques, et Michel Pascal avait coordonné les opérations d'éradication des félins avec succès. Ingénieur agronome, directeur de recherches à l'Institut national de la recherche agronomique à Rennes, j'avais retrouvé un résumé de son travail sur Internet :

> Dans de nombreuses îles, l'introduction de populations de rongeurs et de petits mammifères conduit à une perte de la biodiversité des espèces autochtones qui sont alors menacées d'extinction: oiseaux, crabes, musaraignes, tortues... En 1994, des chercheurs du centre INRA de Rennes ont élaboré une méthode d'éradication qui a été appliquée avec succès pour éliminer certaines populations introduites dans quarante-cinq îles et îlots de Bretagne, de Méditerranée et des Antilles françaises. Dix ans plus tard, les chercheurs peuvent apprécier les effets positifs de ces expériences sur la sauvegarde de nombreuses espèces autochtones.

Au téléphone, Michel était intarissable sur le sujet:
– Tu sais, Jean-Louis, coïncidence amusante, un confrère américain, Bernie Tershy, de l'université de Californie, nous a récemment signalé que le rat noir aurait été introduit sur Clipperton à la suite probable d'un naufrage intervenu en 1999 ou 2001.

Une photo envoyée par lui montre en effet deux rats capturés grâce à des tapettes et présentant les caractéristiques morphologiques de *Rattus rattus*, le classique rat noir. S'il n'existe aucune preuve formelle que leur introduction soit liée à ces deux naufrages, il semble bien qu'elle soit intervenue après 1980, il y a donc moins de vingt-cinq ans.

J'avais confirmé à Michel la présence de rats sur l'atoll et qu'il y avait bien deux épaves assez récentes qui pouvaient être celles évoquées par Bernie Tershy.

– Mais pourquoi penses-tu que l'introduction du rat a moins de vingt-cinq ans?

Michel avait bien documenté son enquête à la lecture de nos prédécesseurs:

– J'ai lu attentivement les rapports des rares expéditions qui ont séjourné sur Clipperton et aucun mammifère terrestre autochtone, y compris les chiroptères (chauves-souris), n'y a été signalé. Les seules espèces ayant vécu sur l'île sont des rongeurs commensaux ou des animaux domestiques introduits par l'homme et exterminés par lui, comme le porc. Sur l'ensemble des îles du Pacifique, l'homme a très largement introduit quatre espèces de muridés commensaux : la souris grise *(Mus musculus)*, le rat du Pacifique *(Rattus exulans)*, le rat surmulot *(Rattus norvegicus)* et le rat noir *(Rattus rattus)*. Sur Clipperton on trouve peu de chose : la souris grise a été observée en août 1958 par Marie-Hélène Sachet, observation unique et non confirmée depuis, malgré le texte du Dr Niaussat qui indique que l'espèce « aurait » été aperçue en 1967 et 1968. Elle n'a jamais été revue depuis. Concernant le rat qui nous préoccupe aujourd'hui, aucune espèce n'a été mentionnée à Clipperton par Mme Sachet en 1958, ni par le Dr Niaussat lors des quatre expéditions Bougainville de la Marine nationale, qui se sont déroulées entre 1966 et 1969. Plus récemment, les expéditions Cousteau de 1976 et 1980 n'ont mentionné la présence d'aucun muridé, ce qui me fait dire que la présence du rat noir n'a pas plus de vingt-cinq ans.

Hormis quelques noms peu familiers qui coulaient bien dans sa bouche instruite de ces choses, son explication avait l'avantage d'être claire et documentée. Très vite Michel avait témoigné son enchantement à l'idée de venir enquêter sur Clipperton.

– Je viendrai, m'avait-il dit, avec Olivier Lorvelec, avec qui je travaille souvent et qui est, lui aussi, de l'INRA de Rennes. Je te propose qu'en plus du travail sur les rats, nous fassions l'inventaire des vertébrés terrestres.

Cette proposition d'inventaire allait tout à fait dans le sens des objectifs de l'expédition et je me réjouissais de compter sur eux. Il insistait sur la nécessité de venir au début de l'expédition, pour observer les rats avant notre installation dans la cocoteraie. Dans les jours qui avaient suivi, Michel m'avait transmis son projet :

> Les objectifs de cette mission, inscrite dans le cadre de la biologie de la conservation, ont été définis comme suit :
> – établissement d'un inventaire des populations allochtones [immigrées] de vertébrés ;

– acquisition de connaissances sur la biologie et l'écologie de ces populations ;
– établissement d'un inventaire des populations autochtones [indigènes] potentiellement sensibles à la présence des allochtones ;
– évaluation de l'abondance des individus au sein des populations autochtones ;
– tentative d'éradication des populations allochtones si leur répartition spatiale l'autorise ;
– élaboration d'une stratégie d'éradication si celle-ci n'est pas tentée.

Sale temps pour les rats ! L'homme avait accidentellement introduit le rat noir sur Clipperton et il lui incombait de restaurer l'équilibre antérieur. Le rat est trop brutalement invasif pour laisser à la nature le temps de désigner son prédateur. Il est arrivé que l'homme l'amène lui-même, avec des résultats totalement imprévisibles et vite immaîtrisables ; on cite l'exemple d'une région du sud-est de l'Europe où l'homme, ayant importé de nombreux hérissons pour se débarrasser des serpents, avait dû ensuite introduire des rapaces pour limiter le développement des hérissons devenus trop prospères... Je ne sais plus où ils en sont aujourd'hui. L'écrasante majorité des invasions intervenues au cours de ces cinquante dernières années est d'origine anthropique ; si les motivations furent essentiellement « utilitaires » par le passé, elles sont aujourd'hui majoritairement « ludiques » (chasse, pêche, aquariophilie, plantes ornementales, animaux de compagnie...).

Dans un monde où l'humanité prend de plus en plus le contrôle de l'évolution des espaces et des espèces, nul ne peut prévoir quelles seront les réactions de la nature, car la nature est cette part de la création qui échappe à la volonté de l'homme.

À chaque scientifique j'avais demandé le poids et le volume de leur matériel. Voici ce que m'avait répondu Michel Pascal :

– Ratières : 180 kg en cartons palettisés de 30 kg chacun.
– 70 kg d'appâts toxiques en seaux de 5 kg chacun.

– Stations pour appâter (15 kg), pièges INRA (200) et petit matériel.
– 1 touque de 50 l (matériel un peu fragile).

Au total, cela devrait représenter 350 kg pour un volume de 1,5 m^3.
Amitiés,

Michel Pascal, alias « Ratator »,
équipe Gestion des populations invasives.

« Ratator » est son nom de guerrier de la science. Il s'est mis tout de suite au « boulot » en arrivant sur Clipperton. Avec l'instinct sûr des bons trappeurs, Michel et Olivier ont équipé la cocoteraie de cent postes de piégeage. Avec sa faconde habituelle, et son vocabulaire spécialisé, Michel détailla sa stratégie, ses munitions et leur marque de fabrique :
– Chaque emplacement numéroté est équipé d'un piège Manufrance non vulnérant, destiné à la capture des rats, et un piège INRA également non vulnérant, destiné à la capture des souris. Ces pièges ont été pourvus d'un appât à base de pâte d'arachide, de flocons d'avoine et d'huile de sardine.

Les premiers résultats du lendemain matin étaient très attendus car le nombre d'individus piégés refléterait leur abondance. Tout d'abord on pouvait être tranquille avec les souris : aucun des pièges INRA n'avait été déclenché et aucune souris observée, ce qui laissait penser que l'espèce était actuellement absente de Clipperton. Par contre, les cages Manufrance avaient été visitées, et pas seulement par les rats. Attirés par gourmandise, certains crabes attendaient qu'on les libère et des fous bruns avaient déclenché d'un coup de bec la fermeture brutale de la cage métallique. Au final, 75 %, pourcentage considérable, des pièges restants étaient occupés par des rats appartenant tous à la même espèce, les rats noirs, *Rattus rattus*. Tous ces petits muridés présentaient une belle livrée gris sombre, uniforme, un poil brillant, des yeux vifs, malins, et une tête fort sympathique ; on les aurait volontiers caressés. Mais gare à celui qui tenterait cette familiarité ! *Rattus rattus* est un redoutable rongeur aux incisives aiguisées et aux griffes acérées ; on ne peut le prendre dans sa main sans un gant de protection, au risque de se faire lacérer la peau. Michel et Olivier, qui les côtoient fréquemment, étaient surpris par le bon état général de ces rats, et l'autopsie pratiquée sur tous les spécimens confirmait leur excellente santé : pas de parasites, pas de tumeurs, développement satisfaisant de l'appareil de reproduction chez les adultes. Le contenu stomacal révélait qu'ils consommaient du crabe et des végétaux chlorophylliens, probablement les laisses des phanérogames du lagon.

Les nids, pour la plupart des galeries creusées dans les vieux troncs de cocotiers, contenaient surtout des cadavres de petits crabes, de poissons et d'oiseaux. Ces rongeurs opportunistes ne manquaient donc de rien.

Nous étions face à une population jeune, active et prospère, de quoi s'inquiéter pour l'avenir de cet écosystème insulaire. Nos savants investis de cette responsabilité se posaient quelques questions : y en avait-il ailleurs que dans la cocoteraie et quelle était la date présumée de l'invasion ? Ces deux paramètres importants allaient guider leur stratégie : l'éradication était-elle ou non envisageable au cours de cette mission ?

Deux jours plus tard, il devait être 14 heures, nous terminions notre déjeuner quand nous avons vu arriver nos deux compères assoiffés, la peau brûlée par le soleil. Ils venaient de passer la matinée à relever les pièges posés la veille du côté du rocher et sur le corail à découvert. Après avoir avalé un plein verre d'eau fraîche, Michel nous annonça la nouvelle :

– Eh bien, les gars, les rats sont partout, au rocher et même sur les zones désertiques du platier corallien, ce qui est quand même le reflet d'une adaptation remarquable à ce milieu très aride. D'après moi, la présence de *Rattus rattus* est antérieure à l'échouage de ces deux épaves, car je ne pense pas qu'ils puissent avoir colonisé toute l'île, un milieu si hostile, en cinq ans. Je suis persuadé qu'il y en a aussi sur les petites îles à l'intérieur du lagon ce qui menace les sternes, les noddis, les puffins…

Tout le monde écoutait avec intérêt les faits et l'annonce du verdict :

– Dans ces conditions, on ne peut pas envisager d'éradication cette fois-ci. C'est une action qui demandera une campagne dédiée, plus longue, avec une logistique massive, afin de prendre d'assaut l'ensemble de l'île. Nous allons y réfléchir, Olivier et moi.

Après s'être restaurés et bien réhydratés, nos deux chercheurs avaient le visage reposé. Tel un Maigret du commissariat des rats, Michel tirait sur sa pipe et, le regard rieur, annonça :

– On va bien sûr continuer le piégeage et tenter de donner un éclairage sur les dysfonctionnements éventuels que ces rongeurs imposent aux autres espèces, surtout aux oiseaux. Il y a encore beaucoup de travail à faire.

La nuit tombée, je les retrouvai au laboratoire humide installé sous quelques tôles dans le bosquet. Assis sur un tronc de cocotier, ils disséquaient leurs prises derrière la loupe éclairée par une lampe de bureau. Olivier notait pour chaque rat de nombreuses mesures et observations. En voici quelques-unes :

– sa morphologie : taille, poids ;
– son état reproducteur dans le cas d'un mâle : grand diamètre testiculaire (en mm, ± 1 mm) ;
– son état reproducteur dans le cas d'une femelle : nombre d'embryons dans les cornes utérines droite et gauche ; nombre de cicatrices placentaires sur les cornes utérines droite et gauche ; nombre de corps jaunes sur les ovaires droit et gauche ; allaitante ou non ;
– l'état général de certains organes à l'examen direct : foie, rate, reins ; contenu de l'estomac ;
– l'état parasitaire à l'examen direct.

C'était une véritable autopsie, digne des enquêtes approfondies de médecine légale. S'agissant de vulgaire *Rattus rattus*, on pouvait être surpris par l'attention minutieuse portée à des individus dont on souhaitait l'extermination. Mais il s'agissait là de protocoles appliqués par tous les spécialistes internationaux des espèces invasives, et plus particulièrement les muridés, qui voyagent facilement, colonisent à grande vitesse le monde et les bas-fonds des villes. Fort heureusement, les rats de Clipperton, élevés en pleine nature, semblaient épargnés par toutes sortes de germes et de parasites souvent dangereux pour l'homme et l'ensemble des espèces : la peste et bon nombre de fièvres ichtéro-hémorragiques…

Mais d'où provenaient ces rats ?

L'épave du *Lily Mary* ne portait pas de marque de son port d'attache, la rouille ayant fait son travail. On devinait sur la coque que ce bateau avait eu un autre nom, difficile à lire. À l'intérieur, un bidon d'huile portait des inscriptions en français. L'autre bateau échoué venait, semblait-il, du Costa Rica ; Gérard avait trouvé des pièces de monnaie en récupérant du bois sur l'épave. Était-ce donc des rats du continent américain ou provenaient-ils de l'échouage d'un bateau asiatique dont l'épave avait été engloutie ? Michel me précisa à juste titre que les rats naviguent beaucoup, qu'ils font escale dans tous les ports et ne repartent pas forcément avec le bateau qui les a amenés.

Le port d'attache de l'épave n'était donc pas un indice fiable. Seule l'analyse du patrimoine génétique pouvait, par recoupement, apporter plus de précisions sur l'origine de l'espèce. Pour cela un doigt était prélevé sur chaque individu et conservé dans l'alcool à 95 degrés à des fins d'analyses génétiques ultérieures. Le crâne de trente spécimens adultes était conservé de la même façon pour constituer une collection ostéologique de référence. Trente spécimens éviscérés placés dans une solution aqueuse de formol allaient être archivés dans les collections du Muséum de Paris.

Me voyant plutôt stupéfait par cette étude poussée, Michel me précisa qu'avant de passer à la phase d'éradication, on procède toujours à une mise en conservation de parties ou de la totalité du corps de l'animal, et il ajouta :

– Le rat noir est connu pour engendrer de nombreux dysfonctionnements dans les écosystèmes insulaires où il a été introduit. Diverses instances internationales ont émis des recommandations convergentes, dont la toute récente « Stratégie européenne relative aux espèces exotiques envahissantes », qui indique, entre autres, la tentative d'éradication de l'espèce chaque fois que cela paraît possible. Elle souligne aussi tout l'intérêt de procéder à cette opération dès le diagnostic de l'invasion, afin de limiter le risque d'apparition de modifications irréversibles.

– Alors, quelle va être votre stratégie ?

Avec sa faconde et son talent de conteur, Michel se lança dans une explication détaillée des stratégies possibles :

– Maintenant que nous avons réuni toutes les spécificités de l'espèce et que nous avons procédé à divers échantillonnages, deux stratégies d'éradication peuvent être suggérées sur cette île de faible superficie, dépourvue de relief, à faible couvert végétal et donc facilement pénétrable.

« La première utilise successivement le piégeage et la lutte chimique. Cette stratégie, appliquée avec succès depuis plus de dix ans sur un ensemble d'îles bretonnes, corses et antillaises, permet de piéger 90 % des individus. En revanche, elle présente l'inconvénient, si elle était mise en place sur Clipperton, de nécessiter la présence permanente d'une équipe spécialisée d'une dizaine de personnes pendant un mois au minimum.

« La seconde est fondée sur la seule lutte chimique et consiste à répandre par voie aérienne des appâts toxiques sur l'ensemble de l'île. Cette méthode a été développée et appliquée avec succès par les Néo-Zélandais à un très grand nombre d'îles. Elle n'est pas dangereuse pour les espèces autochtones de Clipperton car aucune ne consommerait ces appâts. Par ailleurs, aucune de ces espèces n'est réputée consommer des cadavres de rats. Les risques d'intoxication directe ou indirecte semblent donc négligeables. En revanche, si elle était retenue, elle nécessiterait la présence d'un hélicoptère équipé des moyens de distribution d'appâts pendant une durée de quatre jours, avec les risques aviaires que l'on connaît pour l'appareil et son équipage.

« Donc, tu vois, ce n'est pas à l'occasion de cette expédition que nous allons les éradiquer. Nous allons quand même continuer le piégeage des rats et commencer l'inventaire des vertébrés terrestres de Clipperton.

– Nous avons de quoi nous occuper pendant encore quinze

jours, jusqu'à la fin du séjour, précisa Olivier, qui affectionnait de toute évidence ce travail de naturaliste et de préservation des espèces.

C'est un plaisir qu'ils ont su nous faire partager, en nous enseignant les sciences de la vie, avec des histoires simples et des contes teintés d'une gourmande pédagogie digne des leçons de choses du grand Jean-Henri Fabre[1]. Merci, messieurs.

---

1. Jean-Henri Fabre, 1823-1915. Personnage savant, « coureur de garrigues et inventeur de la biologie en plein champ », comme l'écrit Yves Delange, cet entomologiste célèbre a passé sa vie à observer et à décrire la nature avec une précision, une sensibilité et un sens pédagogique jamais égalés. On peut maintenant visiter sa maison et son jardin-laboratoire à Sérignan, dans le Vaucluse. Voir ses *Souvenirs entomologiques*, Robert Laffont, coll. « Bouquins », 1989.

CHAPITRE 7

Énergie solaire et éolienne.

Pour échapper à trop de clarté dans la blancheur de la tente, le Pr Henry passait des heures la tête dans l'obscurité d'un carton d'emballage où il avait logé son ordinateur portable. C'était la phase cruciale de mise en service des systèmes de production et de stockage d'électricité qu'il avait élaborés.

Hervé Henry est professeur au laboratoire IXL à l'université de Bordeaux, où il travaille sur les véhicules électriques et les systèmes autonomes. C'est Titouan Lamazou qui me l'avait fait connaître quand nous avions quelques soucis sur l'installation électrique d'*Antarctica* ; il l'avait surnommé « Silicone » car, plein de bon sens et d'expérience, il passait du temps à prévenir les faux contacts sur les connexions électriques, vite oxydées en milieu marin, en les enduisant de silicone. Hervé, célibataire, est un personnage d'un éclectisme surprenant ; il est aussi doué en parapente qu'en plongée sous-marine, qu'il pratique avec persévérance et passion, comme tout ce qu'il fait. Il était venu au pôle Nord mettre en service le circuit électrique du *Polar Observer* – panneaux solaires, pile à combustible Axane, batteries au lithium Saft –, et quand je l'avais appelé pour Clipperton, il avait tout de suite manifesté son intérêt.

Le cahier des charges que je lui avais présenté au début du projet n'avait cessé d'évoluer avec l'effectif et les besoins des équipes qui ne cessaient de s'agrandir. La ligne directrice n'avait cependant pas changé depuis le début : je voulais que l'on exploite le vent et le soleil pour être autonome en électricité. Nous devions être les ambassadeurs des énergies propres et renouvelables, comme je m'y étais engagé auprès de mes deux partenaires principaux, Gaz de France, le partenaire énergie de l'expédition, et Unilever. Tout reposait sur la solution d'une équation à trois variables : temps d'ensoleillement, vitesse et durée du vent, et consommation électrique.

Le temps d'ensoleillement ne m'inquiétait pas du tout car nous étions sous les tropiques à 10 degrés de latitude nord, à la hauteur de la Caraïbe, où il fait en général assez beau entre décembre et avril. Mais le professeur avait besoin de valeurs pour ses calculs, qu'il trouva sur un site américain de la National Oceanographic and Atmospheric Administration (NOAA). Le nombre de panneaux photovoltaïques n'était pas une question préoccupante : nous avions assez de place sur le bateau pour les transporter et au sol pour les mettre en place. Le vent était un élément sur lequel nous manquions d'informations locales. Toutes les tentatives d'installation d'une station météorologique automatique par Météo-France avaient échoué : piratage ou encombrement jusqu'à l'extinction des panneaux solaires certainement par les fientes d'oiseaux. Était-il assez constant et d'une force suffisante pour justifier l'installation d'une éolienne ? Les analyses des champs de pression par les prévisionnistes de la météo laissaient penser que l'alizé devait souffler régulièrement de 15 à 30 kilomètres-heure. Il ne fallait pas se priver de cette ressource qui pouvait compenser des journées sans soleil. Le fabricant français d'éoliennes Vergnet, installé du côté d'Orléans, ne faisait pas d'appareils d'une puissance inférieure à 5 kilowatts, qui requièrent un vent minimal de 18 kilomètres-heure et dont le rotor pèse à lui seul 400 kilogrammes, ce qui était bien trop lourd pour nos moyens de manutention. Installer une telle éolienne pour une période de quatre mois n'avait pas de sens. Se reposait toujours à moi la même question : quelle suite allait être donnée à notre expédition ? Mon souhait était qu'elle se pérennise par l'installation d'un observatoire permanent de l'océan. Mais un tel projet ne pouvait se concevoir qu'à partir de l'expérience acquise à l'issue de ce premier séjour.

Je contactai Olivier Krug. Il fait partie de ces « ingénieurs militants » passionnés par les énergies renouvelables qui, installés à leur compte, étudient des systèmes intégrés solaire-éolien pour les particuliers et les collectivités. Il me proposait une éolienne Berguey de 1 kilowatt, facile à installer et à démonter par seulement trois personnes. Ce modèle convenait à nos besoins domestiques et je m'en réjouissais. Dans la préparation d'une expédition, la recherche des solutions techniques est une part de l'aventure qui me passionne et dans laquelle je m'implique totalement ; il y a toujours du plaisir à trouver la solution adéquate.

Nous étions en novembre 2003, à un an du départ, et le voyage à Clipperton que j'avais imaginé en équipe légère, une dizaine de personnes, s'enrichissait toutes les semaines d'une nouvelle proposition d'étude. Cela se traduisait par :

– Allô, Hervé ? C'est Jean-Louis. Il faudrait que tu ajoutes un petit congélateur au devis de consommation électrique car une équipe de biologistes doit ramener des prélèvements congelés. Ne t'inquiète pas, ce ne sera que pour un usage d'une dizaine de jours. Crois-tu que l'on puisse l'ajouter sans tout chambouler ?

– Bon je vais regarder ça.

Quelques semaines plus tard :

– Allô, Hervé ? C'est Jean-Louis. J'ai une bonne nouvelle pour l'expédition mais...

– Je crains le pire, mais vas-y, je t'écoute...

– Nous allons avoir un accès Internet à haut débit sur Clipperton. Tu te rends compte, c'est un superoutil pour le programme éducatif. C'est EADS Astrium qui met l'antenne satellite à notre disposition. Le problème, c'est qu'elle consomme 1 kilowatt.

– C'est énorme !

– Je sais bien, mais il faudra qu'on organise des créneaux horaires de communication afin de limiter la consommation électrique.

Hervé ne se laissait pas démonter :

– Tu sais, Jean-Louis, le mieux est que tu attendes encore un peu d'avoir la liste détaillée de tous les postes de consommation et nous ferons un plan définitif à ce moment-là.

Et il ajouta :

– Il me semble que tu as prévu un peu juste pour l'équipe cinéma. Le tournage sous-marin demande des projecteurs assez puissants. Ont-ils prévu un groupe électrogène dans le Zodiac de surveillance, comme ça se fait souvent, ou emmènent-ils des batteries sous l'eau ?

– Je dois t'avouer qu'il va falloir demander davantage de détails.

– D'autre part, n'oublie pas que ce n'est pas la production d'électricité qui pose problème. On peut toujours ajouter quelques panneaux solaires ou doubler les éoliennes, nous ne sommes pas sur un bateau, il y a de la place au sol. Le problème de l'électricité vient des difficultés de stockage. Et comme je sens venir les choses, on évolue vers un parc de batterie au plomb qui devrait peser près de 3 tonnes !

– 3 tonnes !

Je m'inquiétais des difficultés que nous allions rencontrer pour débarquer 3 tonnes de batteries. Dans ces moments, les « anciens » sont toujours là, avec leurs conseils d'arrière-garde, pour vous saper le moral en faisant des réflexions du style : « Mais qu'est-ce que tu t'emmer… avec tout ce matos ! Prends un bon groupe électrogène et quelques fûts d'essence, et le tour est joué ! »

Certains jours, la tentation était grande de revenir à de vieilles méthodes, mais je ne pouvais m'y résoudre. Le calcul allait finalement me donner raison. Un groupe électrogène consomme de l'essence pour produire de l'électricité ; on peut donc considérer un fût d'essence comme un stock d'électricité potentiel. La génératrice qu'il nous faudrait consommerait en moyenne 1 litre à l'heure en continu. 24 litres par jour pendant cent vingt jours d'expédition, c'était environ 3 000 litres d'essence. Si on ajoutait le poids des fûts, ça faisait l'équivalent de 3 tonnes de batteries.

Va pour les batteries, et sans hésiter !

Je savais qu'on pouvait se procurer, à condition d'y mettre le prix, des accumulateurs plus performants au nickel-cadmium ou au lithium, permettant de réaliser une économie considérable de poids. Je me rapprochai de la compagnie Saft, entreprise française centenaire qui m'avait équipé en piles au lithium très performantes à basse température, pour toutes mes expéditions polaires depuis le pôle Nord en solitaire en 1986. Après un délai de réflexion, Saft décida de mettre à notre disposition des batteries prototypes de dernière génération, au lithium-ion, destinées à équiper de futurs sous-marins. Je m'engageais à conserver la stricte confidentialité sur toutes les informations qui me seraient communiquées, car Saft était sous contrat avec la direction générale de l'armement pour la mise au point de ces batteries. Hervé Henry se trouvait impliqué aussi dans le suivi à distance de ces accumulateurs, équipés de capteurs connectés par satellite avec son laboratoire.

– Tu vois, Jean-Louis, ces deux batteries au lithium-ion pèsent ensemble 120 kilogrammes, et si on voulait obtenir les mêmes performances avec des batteries au plomb, il en faudrait 3 tonnes !

Hervé était satisfait de ce choix très *high-tech* qui le rassurait sur la capacité de notre installation électrique. Deux congélateurs, deux réfrigérateurs, le dessalinisateur, l'antenne satellite, les chargeurs de batteries, les ordinateurs et l'éclairage : la liste définitive faisait état d'une consommation journalière de 12 kilowatts-heure. Par sécurité, la production électrique provenait de deux installations indépendantes comprenant chacune quarante-deux panneaux photovoltaïques de 80 watts crête, une éolienne de 1 kilowatt et une batterie lithium-ion. Le courant continu de chaque accumulateur passait ensuite dans un onduleur qui le transformait en 220 volts, et tout cela grâce à l'intensité du soleil et à la force du vent.

Le tableau de contrôle, digne d'une centrale électrique, reflétait la complexité d'un système bien plus sophistiqué qu'on pouvait l'imaginer. Non seulement il indiquait les productions d'électricité solaire et éolienne, la charge des batteries et le niveau de la consommation, mais il assurait aussi toute la régulation du système. Par exemple, quand la production d'électricité solaire était intense, les éoliennes cessaient automatiquement de tourner et, inversement, elles tournaient sans retenue les journées où la couverture nuageuse était dense.

Des échappatoires de courant se mettaient en marche automatiquement pour limiter la surcharge des batteries. Tous ces automatismes de régulation et de sécurité se trouvaient logés dans deux armoires sous surveillance électronique très complexe.

Après trois jours à faire l'autruche dans son carton qui était devenu son bureau, le Pr Henry sortit la tête à la lumière et annonça avec émotion et satisfaction :

– Bon, eh bien, ça marche !

Je connaissais suffisamment Hervé pour interpréter le soulagement qu'il exprimait dans cette courte phrase. J'avais vu ses yeux rougir et verser quelques larmes au pôle Nord, quand, après trois jours d'installation et de réglage par grand froid sur le *Polar Observer*, il avait prononcé ces mêmes mots. Je sais à quel point il s'investit, conscient des engagements qu'il prend, depuis l'étude jusqu'à la mise en route des systèmes de production d'énergie, poste clé dans une expédition, pour la survie des personnes dans un milieu hostile, loin de toute assistance.

Hervé est si éclectique et prodigue qu'il avait aussi accepté de prendre en charge l'installation et la mise en route de l'antenne satellite fournissant un accès direct à Internet en haut débit. Son profil d'élève sérieux et sa rapidité à comprendre avaient rassuré les ingénieurs de EADS Astrium à Toulouse, où il s'était rendu pour une formation succincte. Si affûté soit-on, ce n'est pas le genre d'instrument que l'on peut livrer avec une simple notice d'explication. Le seul satellite géostationnaire accessible depuis Clipperton se trouvait sur l'océan Atlantique, si bien qu'à proximité de l'atoll le faisceau passait tangentiellement à la Terre. La grande parabole de 2,4 mètres de diamètre était fixée à l'écart du camp, loin de tout passage, pour limiter l'exposition des personnes au rayonnement pendant les périodes d'émission. Avec l'aide de Camille, jeune élève ingénieur fraîchement sorti de l'école, qui exerçait là ses réelles compétences en électronique et informatique, Hervé avait réussi à se connecter après deux journées de paramétrage et de contact avec les ingénieurs à terre. Je connaissais la bonne nouvelle, mais je laissai à Hervé le soin de l'annoncer à la communauté.

À l'heure du déjeuner, le 27 décembre 2004, il fit le même effet d'annonce que pour l'électricité :

– Je vous informe que nous sommes connectés à Internet.

Bravo, hourra, tonnerre d'applaudissements, bien plus fournis que pour l'annonce de la production d'électricité, banale aux yeux de tous. Internet, c'était la connexion avec le monde, les amis, la famille, la rupture de l'isolement.

Les demandes n'ont pas traîné :

– Jean-Louis, quand est-ce qu'on va pouvoir consulter nos *e-mails* ?

Hervé tempéra tout de suite les appétits en expliquant les limites de l'outil :

– Cet accès sera forcément limité, pour deux raisons majeures : l'antenne consomme 1 kilowatt et l'on ne pourra l'utiliser que quelques heures par jour, celles d'ensoleillement intense. D'autre part vous ne pourrez pas aller dans vos boîtes aux lettres personnelles car nous avons un accès direct qui n'est pas protégé.

Constatant un certain désenchantement sur les visages, je pris la parole pour rappeler une information :

– Vous n'avez peut-être pas tous lu le dossier qu'on vous a envoyé, mais l'adresse de l'expédition où l'on peut vous faire parvenir vos messages est mentionnée. Ils seront classés et vous pourrez les consulter.

Je sentais qu'il fallait vite s'organiser, donner des heures d'ouverture pour ce cyber-service qui risquait de devenir envahissant – on devait satisfaire en moyenne vingt-cinq personnes. Auparavant, en expédition, on recevait de temps en temps une lettre aux escales ou à la poste restante. Aujourd'hui, la réactivité du courrier électronique a totalement chamboulé la vitesse des échanges : c'est un dialogue écrit qui s'établit en flux continu. Si bien que l'occupation de l'ordinateur variait chaque jour d'une minute à une demi-heure pour certains qui tapotaient de deux doigts leurs romans quotidiens. Tout ça a donné lieu à quelques énervements, mais l'accès à Internet pour tous a parfaitement fonctionné. C'est un formidable outil de télétravail, qui a facilité l'organisation de la logistique, qui a permis aux chercheurs de rester en contact avec leurs laboratoires, qui a fait vivre la mission en temps réel par la mise en ligne du journal de bord et des photos, sans parler des visioconférences pour le programme éducatif et de l'envoi de vidéos compactées pour le suivi sur Canal+.

Dans quelques années, on pourra fêter Noël avec ceux qui sont loin. Sur un écran géant de la dimension d'un mur apparaîtront en grandeur nature les membres de la famille du bout du monde, comme s'ils étaient assis à la table d'à côté. On se verra, on pourra se parler, on pourra même danser ensemble si on arrive à synchroniser la musique… mais on ne pourra pas partager le gâteau, ni s'échanger les cadeaux, on sera virtuellement ensemble, en attendant de s'embrasser à l'occasion d'un prochain voyage. On est encore loin du monde de *Matrix*.

Avec ses 55 mètres carrés de panneaux solaires, ses deux éoliennes et son antenne satellite géante, le village de Clipperton commençait à ressembler au décor imaginé : la haute technologie au pays de Robinson. J'aimais cette façon de vivre au cœur de la nature, tout en tirant profit des ressources locales, le vent et le soleil, pour notre confort matériel, et satisfaire les engagements que j'avais pris avec le monde de l'éducation et de la science. Ces moyens technologiques sont d'excellents outils pour la valorisation pédagogique des missions scientifiques de terrain. Ça faisait quinze ans que j'avais commencé ces programmes éducatifs en « temps réel », jamais je n'avais été aussi bien équipé et performant. Cette mission ouvrait des perspectives pour d'autres robinsonnades – à haut débit, bien entendu.

CHAPITRE 8

Une mission d'inventaire naturaliste.
Jour de l'an.

Le dernier message de Simon était court et explicite :

> Ici, pas un pet d'air, petite houle qui nous fait rouler comme une vieille barrique. Tout le monde va bien et est heureux. ETA Port-Jaouen, 16/02 au petit matin.

Je m'étais levé à la pointe du jour et ça sentait déjà le graillon au bar des Fous ; Janot, Gérard, Jean-Claude… sauçaient dans le jaune avec des mouillettes de bon pain frais qu'Éric avait enfourné la veille au soir. Sam et Manue arrivaient ensemble de la même cabane, où ils habitaient tous les deux. Ce sont deux jeunes et vieux amis qui ont grandi aux Glénans et, contrairement aux apparences, « il ne s'est jamais rien passé entre eux » ; Sam le revendique haut et fort : son amie Marion viendra nous rejoindre dans quelques semaines.

Le ciel était encore sombre quand la VHF a diffusé plein pot le début de *Money* des Pink Floyd. C'était très inattendu et tout le monde a sursauté.

– Clipperton, Clipperton, ici *Rara Avis*, bonjour à toutes et à tous, nous serons au mouillage dans une heure.

– *Rara Avis* de Clipperton, bonjour, bienvenue, et merci pour le coup de clairon, très sympa.

C'était aussi un clin d'œil du capitaine : j'avais dit à Simon d'équiper le bateau d'une nouvelle chaîne qui serait offerte par l'expédition pour remercier l'équipage de son aide.

Il ne fallait pas traîner car si l'arrivée du bateau était toujours une fête, c'était aussi une grosse journée de travail : débarquement du matériel et de la nourriture, accueil et installation des nouveaux arrivants…

Moins d'une heure après l'annonce en fanfare, le bateau passait au rocher toutes voiles dehors, un spectacle dont on ne se lassait jamais. Pour accueillir le fier navire, les dauphins sautaient à l'étrave. À bord, le Dr Jean-Michel Bompar, qui était là pour ses quinze jours de veille médicale, n'en espérait pas tant ; anesthésiste et bon plongeur, il est passionné par les mammifères marins, dont il est spécialiste. En arrivant à terre, Jean-Michel vint vers moi et me serra dans ses bras ; il était très ému.

– Tu as vu cet accueil ! Ce sont des grands dauphins du Pacifique et il y en avait près de cent cinquante.

Dans l'excitation, Jean-Michel continua sur-le-champ par une petite conférence improvisée :

– Ce sont des dauphins très costauds qui font entre 2 et 2,5 mètres de longueur, et ils sont sûrement toujours là car ils vivent exclusivement près des côtes, où ils se nourrissent de calmars et de poissons de toutes sortes. Ceux qui viennent jouer à l'étrave sont surtout des adolescents et de jeunes mâles qui se regroupent en bandes d'errants ; on les appelle des *bachelors*.

– Tu crois qu'ils se font piéger par les gros thoniers ?

– En principe non car, vivant à proximité des côtes, les grands dauphins du Pacifique sont protégés de la capture par les filets des senneurs qui pêchent plus au large. Tout le monde connaît le grand dauphin du Pacifique, dit-il en souriant. C'est Flipper !

– Hé, Jean-Michel, il y a du boulot, on en reparlera plus tard.

Pour l'acheminement du matériel entre les Zodiac et la terre, nous avions besoin de tout le monde. Après quelques coups de gueule, chacun prenait sa place dans la chaîne et, de bras en bras, tout transitait sur une trentaine de mètres, jusqu'en haut du platier où les cartons étaient empilés dans les remorques. Direction le bar des Fous.

Le cuisinier, qui gérait aussi les stocks et passait les commandes, affichait régulièrement une mine patibulaire à la réception de la nourriture : des fruits écrasés bien trop mûrs, des conserves familiales alors qu'on attendait des boîtes de 5 kilos… Parmi les légumes, les choux blancs, les oignons et les pommes de terre se gardaient assez bien. Les courgettes, les aubergines et les tomates étaient par contre au menu de tous les repas les premiers jours, il fallait vite les manger. Fort heureusement, nous n'avons jamais eu de problèmes avec la viande congelée ; sitôt débarquée, elle trouvait sa place dans les congélateurs de la cuisine. Faire du froid avec du soleil m'a toujours épaté.

L'expédition Clipperton était maintenant installée, prête à remplir sa mission d'inventaire. Nous attendions une quarantaine de chercheurs qui allaient se succéder par petits groupes à chaque rotation du bateau, en moyenne tous les douze jours.

Quarante scientifiques ! À l'origine du projet, je n'avais pas imaginé une programmation aussi lourde. Je pensais que cet inventaire pouvait être réalisé par un groupe restreint, une dizaine de personnes, naturalistes et équipe logistique compris. J'avais imaginé réunir quelques savants amateurs, ces érudits sans vernis que l'on trouve dans les sociétés de sciences naturelles de province. Le plus souvent autodidactes, ils consacrent leurs dimanches et leurs vacances à leur passion. Dans un monde qui se spécialise, on a besoin de ces généralistes qui représentent le fond non institutionnel de la connaissance générale sur les choses de la nature. Dans nos sociétés d'experts, on constate tous les jours davantage que plus on s'enfonce dans le détail, moins on comprend l'ensemble. Je ne recherchais pas forcément des spécialistes pointus dans leur domaine, ils s'expriment le plus souvent par des raccourcis sémantiques qui les rendent inaccessibles. Je désirais de bons conteurs pour animer le projet éducatif et par là même m'instruire de leurs histoires naturelles.

Car cet inventaire naturaliste n'était pas une commande d'un organisme d'État, mais un souhait personnel émanant d'un plaisir culturel profond qui me lie à la nature et aux sciences de la vie. La valorisation pédagogique des expéditions scientifiques est un travail de mise en scène du savoir que je trouve à la fois passionnant et instructif. Parler simplement de phénomènes complexes sans les dénaturer demande d'approfondir ses connaissances. Épurer un sujet jusqu'à l'essentiel pour le rendre accessible, trouver des images frappantes pour imprimer les mémoires, est un exercice d'analyse et de composition, toujours présent à l'esprit quand je lis des articles de science. C'est cette conjugaison de l'aventure, de la science et de la pédagogie, où l'on fait la part belle au rêve, qui m'anime depuis une quinzaine d'années, avec de bons résultats auprès des enseignants et des scolaires.

À propos de Clipperton, les dernières publications remontaient à 1958 : une monographie assez complète de Marie-Hélène Sachet, réalisée à l'occasion d'une expédition franco-américaine, et, plus récemment, les rapports du médecin général Niaussat des missions Bougainville de la Marine nationale de 1966 à 1969. Nous ne partions pas du néant.

Je pensais trouver les personnes que je cherchais par la voie du Muséum national d'histoire naturelle et je m'étais adressé à Jean-Claude Hureau, ichtyologue, qui avait gentiment accepté de diffuser l'annonce du projet d'expédition sur le réseau Internet de son honorable maison. Parmi les rares réponses reçues, aucune ne correspondait au profil que je désirais. Du côté de l'Institut de recherche pour le développement (IRD), Marie-Noëlle Favier, à la direction de la communication, relayait ma proposition auprès des chercheurs. Des réponses me parvenaient dans des domaines variés : paléoclimatologie, dérive des continents, chimie et bactériologie des eaux du lagon... des registres très pointus. Je sentais l'intérêt grandir. Concernant le corail, je me rapprochai de Bernard Salvat, de l'École pratique des hautes études. Très actif dans le réseau de surveillance mondiale des récifs coralliens, il avait déjà collaboré avec moi pour *Coralia*, un programme de recherche et de diffusion pédagogique que j'avais organisé en Polynésie en 1993. Cette année-là, le réchauffement des eaux de surface à cause du phénomène *El Niño* avait provoqué un important blanchiment du corail. À l'arrivée du bateau *Antarctica* à Papeete, *La Dépêche de Tahiti* avait même titré : « Le docteur Étienne au chevet du corail ! » Bernard Salvat manifesta tout de suite son enthousiasme, car Clipperton est un atoll très atypique, isolé tout à l'est du Pacifique, et aucune mission scientifique française n'y avait été organisée.

— Tu sais, le corail de Clipperton a déjà été décrit par des biologistes américains et mexicains, et il faudrait faire quelque chose de nouveau. Je vais te trouver quelqu'un. Je pense à un gars comme Mehdi Adjeroud, qui pourrait effectuer un état des lieux et installer une station de surveillance. Je vais lui en parler et je te rappellerai.

L'expédition Clipperton commençait à circuler comme un serpent de mer dans les couloirs des universités et des institutions publiques. Cette initiative non gouvernementale intriguait, classique méfiance envers les projets privés, mais les chercheurs ne voulaient pas passer à côté d'une rare opportunité. Les propositions de recherche commençaient à affluer. Je confiai à Jean-Marie Bouchard, biologiste, plongeur et titulaire d'une thèse sur les crabes au Muséum, pour coordonner le programme scientifique. Finie l'idée de se rendre sur l'atoll en équipe légère, adieu la robinsonnade savante, Clipperton devenait peu à peu une cellule de la recherche scientifique française, avec les contraintes d'une logistique lourde à mettre en place.

Je me réjouissais finalement de cet enrichissement du programme. Avec tous ces scientifiques à bord, l'île serait pour quelques mois une arche de Noé de savants, et aucune famille des règnes animal ou végétal n'échapperait à la visite de son spécialiste.

En ce début de janvier 2005, après deux années de préparation, nous étions à pied d'œuvre pour vivre une véritable aventure naturaliste pluridisciplinaire, à l'instar de nos illustres prédécesseurs – Bougainville, Cook, La Pérouse, Dumont d'Urville –, qui emmenaient à bord de grands érudits, géographes, biologistes, botanistes, physiciens... En trois siècles d'exploration, ces défricheurs de la Terre ont enrichi les collections des muséums d'histoire naturelle. C'était au temps de la découverte du monde, où les peintres naturalistes qui accompagnaient les explorateurs constituaient le catalogue des espèces vivantes, faune et flore, sur des planches méticuleusement illustrées. C'était aussi le début de l'expansion de l'humanité, où l'empreinte de l'espèce humaine sur la nature était encore faible. Darwin découvrait la théorie de l'évolution, la sélection par l'adaptation aux changements d'environnement, conduisant progressivement à l'émergence de nouvelles espèces plus en phase avec le milieu : s'adapter ou mourir. Par son omniprésence sur la planète, l'homme a pris le contrôle de l'évolution des espaces et des espèces avec une rapidité qui laisse peu de temps à des mutations adaptatives, si bien qu'on peut parler d'une période d'involution, qui condamne tous les jours certaines espèces à disparaître.

Aujourd'hui, les missions d'inventaire de la nature s'imposent à nouveau, comme un outil indispensable pour évaluer l'impact des activités humaines sur le monde vivant. Ce 31 décembre 2004, dernier jour de l'année, j'écrivais dans mon journal :

> Le vœu que l'on peut une nouvelle fois formuler en ce début d'année est que l'éducation à l'environnement et au développement durable s'intensifie, se mondialise, de manière à ce qu'une conscience écologique planétaire s'impose et conduise à des comportements instruits et responsables chez tout individu.
> La nature n'est pas le décor de l'existence, c'est la plus grande mutuelle du monde, où toutes les espèces vivent en interdépendance ; nous faisons partie de cette immense chaîne de solidarité et notre survie est intimement liée au respect de cette diversité du vivant.

Le soir du jour de l'an nous n'avons pas failli à la tradition du banquet, avec un menu de produits locaux concocté par Patrick : langoustes et brochettes de poisson. J'étais ému que chacun ait ajouté une touche de délicatesse à sa tenue, ce qui donnait plus de solennité à la fête. Nous avons dansé tard dans la nuit sans crainte de déranger les voisins, bombardés par nos rythmes et décibels exaltés : les fous n'ont pas bronché.

Nous étions connectés depuis seulement quatre jours et nous

n'avions encore pris aucune nouvelle du monde. Je découvris le lendemain matin sur Internet, l'intensité du séisme sous-marin au large de la Malaisie et les photos impressionnantes de la vague tueuse. J'écrivis :

> 1ᵉʳ janvier 2005. – En ce début d'année, le monde souffre de la brutalité du séisme qui a ravagé l'Asie du Sud-Est. La mobilisation planétaire, pour venir en aide à des millions de personnes dans le chaos, a une nouvelle fois apporté la preuve que tous les individus du monde sont capables de compassion et de générosité envers leurs pairs ; ce sont les appareils politiques et religieux qui divisent, surtout quand ils sont mis entre les mains d'individus manipulés par des desseins hégémoniques. Il faut rester vigilant et continuer à éduquer pour que chaque homme protège son libre arbitre. Que 2005 apporte à chacun son lot d'espérances !
> Bonne année à tous !

CHAPITRE 9

Tsunami. Une île vivante. Montée des eaux.

– Allô, Jean-Louis ? Est-ce que tu me reçois, est-ce que tu m'entends bien ?

– Oui, Régis, très, très bien, c'est même surprenant, je ne t'ai jamais reçu aussi clairement.

– Oui, Jean-Louis, c'est surprenant, je dirais même un peu décevant, la liaison est si bonne qu'on perd la notion d'éloignement et d'inaccessibilité.

À chacune de mes expéditions, Régis Picart animait une rubrique hebdomadaire sur les ondes de France Info. Que ce soit du pôle Nord ou de l'Antarctique, nous avions toujours réussi, par radio ou plus récemment par téléphone, à communiquer. Mais là, sur Clipperton, l'accès Internet à haut débit dotait la conversation de toutes les nuances de la modulation de fréquence, si bien que je n'avais plus à forcer ma voix pour être entendu.

– C'est comme si tu étais en studio avec nous. Mais, après tout, ça fait partie du progrès, dit Régis, presque déçu. Bon, on y va. D'abord, comment allez-vous ? Et autre question qui nous brûle les lèvres : vous qui êtes sur une île très basse, avez-vous ressenti le tsunami ?

Perdus sur notre îlot du Pacifique, nous n'échappions pas aux nouvelles du monde, dominées par ce terrible cataclysme qui venait de secouer l'Asie du Sud-Est et dont le nombre de victimes augmentait par dizaine de milliers toutes les heures.

– Nous n'avons rien vu de particulier. Si une vague plus haute que les autres était arrivée jusqu'ici, nous l'aurions sans aucun doute remarquée car l'anneau corallien est à 2 mètres en moyenne au-dessus du niveau de l'océan.

Stéphane Calmant, géophysicien au CNRS, qui était avec nous pour mesurer la dérive des continents, avait interrogé son confrère Laurent Testut, océanographe à l'observatoire de Toulouse, pour connaître l'étendue de la propagation de l'onde déclenchée par ce tremblement de terre sous-marin.

– Ce qui s'est passé au large de la Malaisie doit être énorme car on a enregistré une vague de 2,5 mètres à Manzanillo, sur la côte ouest du Mexique, à 1 000 kilomètres d'ici. Tu te rends compte, Régis, cette onde a traversé l'océan Indien, le sud de l'Atlantique, elle a ensuite remonté le Pacifique et passé l'équateur pour arriver jusqu'ici.

Il avait du mal à croire que nous ayons été épargnés par ce séisme d'une ampleur mondiale :

– 2,5 mètres à Manzanillo ! Mais comment se fait-il que vous n'ayez rien ressenti ? Peut-être parce que la vague est passée pendant la nuit ?

Stéphane Calmant était dans son domaine de compétence et nous avait expliqué pourquoi ce séisme avait été sans effet sur Clipperton. Il faut bien comprendre que ce n'est pas la vague qui a fait le tour du monde, mais l'onde de choc porteuse de la puissance du phénomène, et c'est la concentration progressive de cette onde de choc, au fur et à mesure de la remontée du fond à l'approche des côtes, qui la rendait dangereuse. C'est pourquoi elle a été particulièrement meurtrière sur les plages en pente douce, où toute l'énergie concentrée a soulevé d'importantes masses d'eau. Clipperton est une « tête d'épingle » isolée dans un océan profond, et l'onde dissipée dans l'immensité des eaux environnantes n'a eu aucun impact sur nous. Nous pouvions rassurer les familles et tous ceux qui s'inquiétaient de notre situation après le séisme au sud de la Malaisie.

Mais la menace était aussi locale et pouvait intervenir à tout moment dans le secteur. Clipperton est en effet situé à 500 kilomètres de la dorsale océanique, cette grande faille volcanique nord-sud d'où sort en permanence un magma provenant des profondeurs de la terre en fusion. Ce volcanisme sous-marin est lié à la tectonique des plaques, ces mouvements du plancher océanique à l'origine de la dérive des continents. Cependant l'architecture de l'île et sa géographie nous mettaient en principe à l'abri des raz de marée provoqués par les séismes sous-marins régionaux.

Qu'elle est donc cette architecture particulière ? Clipperton est une île volcanique née du plancher de l'océan, d'où la roche en fusion a surgi il y a quelques centaines de milliers d'années. C'était à l'origine une montagne conique, haute sur l'eau, assez verticale, sur les flancs de laquelle est apparu un corail frangeant, depuis la surface jusqu'à une profondeur recevant suffisamment de lumière pour qu'il se développe. En effet, le corail vit en association étroite avec une algue unicellulaire, la zooxanthelle, qui est logée dans le tissu même du corail. Cette algue contient des pigments capables de réaliser la photosynthèse, c'est-à-dire de transformer l'énergie du soleil en énergie chimique. Sous l'action de la lumière, l'algue transforme le gaz carbonique (CO_2) et les bicarbonates dissous dans l'eau en glucides et acides aminés. Ces nutriments produits par l'algue sont récupérés par le corail dont il se nourrit. En retour, l'algue se nourrit des sous-produits organiques du métabolisme du corail. Cette association entre l'algue et le corail constitue une vraie symbiose car elle profite aux deux partenaires. Ces coraux sont dits « constructeurs de récifs » en raison du squelette calcaire qu'ils fabriquent et qui finit par former le récif sur lequel ils vivent.

Revenons à l'histoire de l'île. En raison d'une croissance assez rapide, d'un à deux centimètres par an, une barrière calcaire s'est développée au contact de cette île volcanique qui ne s'appelait pas encore Clipperton. Puis, au fil des millénaires, l'île s'est progressivement enfoncée sous son poids dans les fonds marins. Pour ne pas couler avec elle, le corail a compensé cet enfoncement par une croissance verticale en direction de la lumière. À une échelle de temps géologique, les variations du niveau de la mer ont fait émerger ce massif calcaire qui constitue le sol actuel de l'île.

Aujourd'hui, Clipperton est un anneau corallien fermé et, du haut de ses 29 mètres, le rocher est le dernier vestige de son passé volcanique. Les différentes étapes de ce phénomène d'enfoncement, que l'on appelle la subsidence, sont bien illustrées par la variété géographique des îles polynésiennes. Tahiti est une île haute entourée par un récif détaché de sa côte, signe d'un début d'enfoncement, alors que les Tuamotu représentent la phase ultime où seul apparaît l'anneau de corail, l'île qui lui a imprimé sa forme ayant entièrement disparu sous l'eau.

Clipperton, cette île verticale et isolée au milieu des grands fonds océaniques, n'a donc pas la capacité de concentrer la puissance d'une onde sismique qui pourrait se produire par un effondrement massif dans la région de la dorsale océanique toute proche. Nous pourrions tout au plus connaître un effet de digue, avec quelques vagues qui viendraient s'éclater sur le récif et passer par-dessus le platier, comme cela doit arriver à l'automne durant la période des cyclones.

Personne n'a jamais témoigné de la puissance des vagues qui pourraient submerger l'île, mais les résidus de matière plastique et les amoncellements de noix de coco sur les rivages du lagon intérieur n'ont pu être emmenés là que par la mer.

L'océan doit bien quelquefois déborder sur cette terre rase. Les cyclones se produisent en général à la fin de l'été, au moment où la température extrême de l'océan et l'instabilité de l'atmosphère s'électrisent, cette énorme accumulation de chaleur se transformant en énergie cinétique. Alors, dans l'anneau nuageux qui entoure l'œil du cyclone, les vents en furie et les pluies diluviennes balaient la terre de toutes leurs forces ravageuses.

Pendant les deux années de préparation de l'expédition, deux interrogations me hantaient : allions-nous pouvoir débarquer nos équipements et que se passerait-il en cas de tempête ? La première inquiétude était résolue, nous étions maintenant installés sur l'île, mais qu'adviendrait-il si des vagues géantes submergeaient le platier ? J'avais imaginé deux solutions : nous replier en hauteur dans les anfractuosités du rocher où quelques grottes étaient assez grandes pour héberger en tout une vingtaine de personnes, ou bien nous réfugier sur nos embarcations à l'ancre à l'intérieur du lagon. Pour cette seconde solution, on pouvait s'aider de l'appui du moteur pour étaler face au vent. Dans les deux cas, il fallait anticiper : le rocher était à 4 kilomètres du camp ; quant à l'utilisation des canots, il fallait les transporter dans le lagon avant que la mer trop violente ne les fracasse sur le platier. Nous n'étions pas sérieusement préparés pour affronter un gros cyclone, mais le fait d'être en hiver nous mettait en principe à l'abri de ces déchaînements du vent.

Stéphane Calmant, qui nous avait éclairés sur la dangerosité des tsunamis, passait du temps sur le rocher. Il y avait installé un GPS pour mesurer avec précision la position du point géodésique mis en place en février 2001 par Christian Jost, géographe, chercheur au CNRS. Les résultats qu'il avait ramenés montrent que Clipperton s'est déplacé d'environ 35 centimètres, plus ou moins 5 centimètres en direction du nord-ouest en quatre ans. La plaque sur laquelle est posé l'atoll dérive donc de près de 10 centimètres par an. On comprend la nécessité d'actualiser les cartes marines, surtout les anciennes, dont les relevés ont été faits au sextant.

L'autre mission de Stéphane sur Clipperton s'intégrait dans un programme international de surveillance du niveau des océans. Ce n'est un secret pour personne qu'une des conséquences du réchauffement climatique est la montée du niveau des océans. En cause, pour une part, la fonte des glaciers et des deux grandes calottes glaciaires de la planète, le Groenland et l'Antarctique, mais surtout la dilatation des eaux de surface des océans. Ce suivi est assuré avec précision par les satellites d'observation de la Terre, Topex-Poséidon et Jason, son successeur. Mais les mesures au sol font toujours partie d'un complément d'information indispensable, ne serait-ce que pour étalonner la lecture spatiale.

Aussi existe-t-il un programme international appelé *Gloss (Global Sea Level Observing System)*, dont l'objectif à terme est l'installation dans le monde entier d'un réseau de deux cent quatre-vingt-dix marégraphes de précision pour suivre le niveau des océans dans le cadre du changement climatique. Et Clipperton, qui a été désigné comme un des points d'intérêt, n'a toujours pas été équipé par la France. Comme on sait, l'atoll est très rarement desservi et reste difficilement accessible. De plus, comme il est inhabité, aucun laboratoire de recherche n'accepte d'y laisser du matériel sans surveillance, exposé au pillage et aux intempéries. Notre expédition était une opportunité que l'observatoire de Toulouse a saisie, avec une idée intéressante. S'il existait un lien entre le niveau du lagon et celui de l'océan, un marégraphe installé à l'abri dans le lagon refléterait le niveau de la mer. Stéphane installa donc deux équipements de part et d'autre du récif au début de la mission et confia à Antoine Guillot, de l'Institut national des sciences de l'univers, de les récupérer à la fin de l'expédition. La question essentielle qui se profilait derrière toutes ces investigations était extrêmement préoccupante : Clipperton, cette île vivante, était-elle menacée de disparaître un jour, engloutie sous les flots de l'« accident climatique de l'humanité » ?

Nous attendions à la prochaine rotation une équipe de paléoclimatologues, ces chercheurs qui étudient les climats du passé ; ils pourraient nous éclairer sur les capacités de l'atoll à endurer les périodes plus chaudes qu'il avait pu connaître ces cinq cents dernières années : nous étions à 10 degrés de latitude nord, dans la zone d'influence d'*El Niño*.

CHAPITRE 10

Biodiversité sous-marine.
Intérêts des inventaires.

Ils venaient à peine d'arriver, fraîchement débarqués du *Rara Avis* après trois jours de traversée, qu'ils manifestaient leur intention de plonger dès le lendemain matin. Claude Payri est professeur à l'université de Polynésie française, où elle est spécialiste de l'écologie et des algues rouges récifales. Jean-Louis Menou, plongeur biologiste très expérimenté, est chef du service plongée de l'Institut de recherche pour le développement de Nouméa. Ce sont toujours de jeunes « vieux routiers » de la plongée sous-marine, d'inoxydables passionnés ; à eux deux, ils ont pratiquement exploré tous les récifs coralliens du monde. Clipperton était un terrain inconnu et ils brûlaient d'envie d'aller découvrir ces fonds.

Le soir, après le dîner, je provoquai la première réunion pour organiser le programme de plongée du lendemain. Les activités subaquatiques étant à risques, j'avais délégué les responsabilités à Jean-Claude Brive, scaphandrier professionnel classe III – les connaisseurs apprécieront. En trente ans de métier, Jean-Claude avait encadré beaucoup de jeunes en formation et des ouvriers qualifiés pour les travaux sous-marins. Sur Clipperton, il avait affaire à une population de scientifiques et de cinéastes qu'il appréhendait, pour des questions d'autorité plus que de compétence. Jean-Claude n'est pas de ces « gros thorax » forts en gueule que le métier a épaissi, c'est un homme simple, réservé, de corpulence moyenne, qui donne souvent l'impression de douter ou d'être facilement malléable.

S'abritant derrière un air borné d'adjudant en fin de carrière, il annonça la couleur :

– Je ne suis pas là pour vous embêter, mais pour que tout se passe bien. J'ai avec moi toutes les réponses aux fiches de demande d'informations qui vous ont été adressées. Je connais votre niveau de qualification. Je sais aussi que tous les candidats à la plongée ne sont pas en possession de leur certificat d'aptitude pour les activités hyperbares, dûment délivré par la médecine du travail, ce qui pose un problème, dit-il en se tournant vers moi.

Depuis le début du projet il ne cessait de me demander régulièrement de le suivre dans ses décisions, et je m'y étais engagé.

Janot, responsable des activités nautiques, était à mon côté avec ses deux marins, Manue et Sam, prêts à décoller le lendemain à la première heure. Janot donna quelques informations :

– Demain il n'y aura qu'une plongée, le matin de 7 h 30 à 11 heures, car le soir la marée est très courte et nous aurons besoin des bateaux et des pilotes pour charger le bateau et ramener les gens à bord. Je précise que 7 h 30 à 11 heures, ce n'est pas le temps de plongée mais les horaires d'entrée et de sortie de la passe. Nous avons deux bateaux équipés et les marins seront là pour vous accompagner et faire la veille de surface.

M'adressant à l'assemblée, je demandai les souhaits de chacun :

– Qui veut plonger demain ?

Trois doigts se levèrent tout de suite : Claude Payri, Jean-Louis Menou et Frédéric Jean, le nouveau toubib. Fred est un chirurgien qui a participé à de nombreuses expéditions, notamment sur la *Calypso* du commandant Cousteau.

Jean-Marie Bouchard souhaitait prendre du temps pour s'organiser avec son équipe et ne participerait donc pas à cette première plongée. Une seule bordée sortirait le lendemain.

– Comme vous le savez, nous avons pour chacun d'entre vous un équipement complet de plongée qui a été mis à notre disposition par Aqualung et que vous essayerez demain matin.

Quelles que soient l'expérience et les qualifications de

chacun, Jean-Claude s'était fixé comme objectif de toujours encadrer les plongeurs à leur première sortie ; il voulait se faire une opinion sur leurs compétences et, surtout, leur maîtrise.

– Je sais que vous êtes tous de bons plongeurs, mais je vous accompagnerai, comme je le ferai pour les premières plongées de tout le monde et pour chaque niveau de profondeur. Demain nous resterons dans la tranche des 12 mètres.

– Soit ! grommela Claude Payri, qui comprenait les exigences sécuritaires de l'organisation.

– On partira du camp demain matin à 7 heures, dit Janot.

– Le petit déjeuner sera servi à 6 h 30. Ça ne me pose pas de problèmes, je serai debout pour faire le pain, ajouta Éric.

Jean-Claude, qui faisait son boulot, fit remarquer à Claude que son dossier était incomplet. Sans se démonter, elle répondit :

– Je sais, mais je te le donnerai quand tu auras déménagé de la tente des femmes.

– Mais je suis très sérieux ! Tu ne plongeras pas si ton dossier est incomplet, rétorqua Jean-Claude, un peu surpris de se faire reprendre devant tout le monde.

– Mais moi aussi, je suis très sérieuse ! Je ne te donnerai pas mon certificat tant que tu n'auras pas déménagé.

Le soir même, Jean-Claude allait poser ses sacs et ses dossiers, complets, dans le grand dortoir des hommes.

Quand le petit train pour Port-Jaouen s'ébranla, à 7 heures, dans la bonne humeur, un frisson de satisfaction me traversa le corps : ce n'était pourtant rien d'extraordinaire, mais je connaissais le travail qu'il avait fallu produire et les engagements que j'avais pris pour être là, sur cette île du bout du monde, bien équipé et à l'heure.

En revenant au camp, Jean-Claude me dit que ça s'était très bien passé et confessa qu'ils étaient même descendus jusqu'à 40 mètres. J'étais impatient de connaître la première impression de ces scientifiques expérimentés. Avec son large sourire et la clarté de langage du professeur, Claude nous décrivit précisément ce qu'elle avait observé :

– Ce n'est pas l'aquarium de Nouméa ou des îles du Pacifique Ouest, mais ça, on s'y attendait, c'est même assez pauvre en variété d'espèces. Jusqu'à une quinzaine de mètres, dans cette zone bien éclairée, les fonds sont surtout riches en algues calcaires. En dessous, jusqu'à 40 mètres, le taux de recouvrement du corail vivant est impressionnant, jusqu'à 70 % de la surface sous-marine, essentiellement de grosses patates de *Porites* et *Pocillopora*. La pente est plutôt verticale, il n'y a pas de plage de sable pour renvoyer la lumière, si bien que c'est assez sombre, un peu austère même. Il y a très peu de gorgones, d'éponges ou d'alcyonaires, pour tout dire le paysage est un peu monotone. On a vu pas mal de murènes en eau libre. Quoi encore ?... Bon, c'est la première sortie, nous ferons un bilan complet quand nous aurons plongé tout autour de l'île.

Insatiables observateurs de la faune marine, Claude et Jean-Louis avaient cette devise au cœur : être toujours satisfaits de leur plongée, ce qui en faisait des compagnons d'expédition très agréables. Ils ramenaient des échantillons d'algues que Claude triait et préparait tous les soirs sous la loupe binoculaire du laboratoire humide. Au total, après douze jours de plongées quotidiennes, elle avait récolté une centaine de spécimens, méticuleusement étalés sur les planches d'un herbier sec qui allait être la collection de référence déposée après étude au Muséum national d'histoire naturelle, à Paris.

La veille de leur départ, à la fin du dîner, Claude prit la parole pour nous faire un exposé simple et chaleureux de leur travail :

– Tout d'abord, je voudrais vous remercier pour votre accueil, pour votre disponibilité et la qualité de l'organisation. Nous avons bénéficié de moyens qui nous ont permis d'explorer un éventail d'habitats bien plus large que celui échantillonné par les missions précédentes, notamment ceux situés le long des pentes externes jusqu'à la terrasse sableuse située vers 55 mètres. Je peux vous annoncer que nos récoltes renferment un certain nombre d'espèces qui n'étaient pas encore signalées à Clipperton et qui sont peut-être, pour certaines d'entre elles, nouvelles pour la science. Mais il faut attendre une étude taxinomique plus importante pour confirmer ces premières conclusions. Nous estimons que ces prospections ont peut-être doublé le nombre de taxons d'algues marines connues de Clipperton, et on peut avancer le chiffre prudent de quatre-vingts espèces.

Bravo général de la communauté. Claude, toute souriante et émue, continua par quelques explications sur ces algues – la phycologie est son domaine de compétence :

– Les nouvelles espèces pour la région sont essentiellement des algues rouges calcaires, qu'on appelle « corallines », aux couleurs rose pâle, bleu lavande ou encore lie-de-vin, qui forment des glacis sur les coraux morts. Ce groupe d'algues joue un rôle très important dans la construction et le maintien de l'édifice corallien. À l'instar des coraux, elles précipitent dans leur paroi cellulaire le carbonate de calcium contenu dans l'eau de mer et contribuent ainsi à la formation de la trame calcaire du récif.

« Ces algues rouges sont très largement répandues dans les atolls du Pacifique central et Sud, où elles participent à la construction des récifs. Les corallines résistent mieux que les coraux aux mouvements de la houle et au déferlement des vagues. Elles s'installent en général jusqu'à une dizaine de mètres de profondeur, sur les coraux morts dans cette zone mouvementée, qui est aussi la couche d'eau qui reçoit le plus de lumière. Au fur et à mesure qu'on descend, les algues se raréfient, laissant la place à des coraux en bonne santé.

Claude Payri tempéra ses propos enthousiastes par une remarque de poids :

– Vous savez, avec moins de cent espèces observées, la flore marine de Clipperton est relativement pauvre. Cette pauvreté spécifique n'est pas étonnante, et il y a au moins deux raisons à cela. Tout d'abord la diversité des habitats est faible et se limite essentiellement à la pente externe de l'île, et surtout Clipperton est très éloigné de ce que nous appelons l'épicentre de la biodiversité, où la variété des espèces est maximale, qui se situe dans la région indo-pacifique, vers l'Indonésie et la Malaisie.

Elle conclut en soulignant qu'il était important pour leurs travaux de connaître cette extrémité orientale du Pacifique.

Nous n'étions pas venus ici avec l'idée que cette île foisonnait d'espèces. J'avais assisté au Muséum à un exposé du Pr Philippe Bouchet sur la biodiversité marine, et il avait parlé de ce gradient d'appauvrissement du nombre d'espèces au fur et à mesure que l'on traverse l'océan Pacifique d'ouest en est. Clipperton est au bout du chemin qu'accomplissent les larves dans leur flux migratoire vers l'est du Pacifique Sud, si bien que peu d'espèces arrivent jusque-là et réussissent à s'y implanter. Paradoxalement, Clipperton, qui est le récif corallien le plus oriental du Pacifique, est très peu colonisé par les espèces dites « panaméennes » (par opposition à « indo-pacifiques »), alors que le continent américain est bien plus proche, à un millier de kilomètres. L'étude de cette dispersion biogéographique des espèces bénéficie aujourd'hui d'enquêtes génétiques sur les spécimens collectés en différents points de cet immense océan. Les recoupements d'analyses génétiques permettent de retracer la dynamique dans le temps de ces flux migratoires, d'expliquer l'émergence d'espèces nouvelles, de comprendre la répartition géographique de la biodiversité.

Dans cette même perspective, une deuxième équipe travaillait à collecter des échantillons sous-marins pour le laboratoire de Philippe Bouchet au Muséum : Jean-Marie Bouchard, Laurent Albenga et Lætitia Dugrais. À chaque immersion ils écumaient la pente océanique du récif. Dans les zones sédimentaires les prélèvements s'effectuaient à la suceuse, sorte d'aspirateur sous-marin, alors que dans les zones coralliennes les organismes inféodés à ces édifices cryptiques étaient extraits par brossage. Certains blocs de corail qui se détachaient facilement constituaient un substrat intéressant, mais assez lourd, qui était remonté à la surface à l'aide d'un parachute gonflé avec l'air des bouteilles de plongée. Tout ce matériel de recherche transitait dans des casiers en matière plastique du canot jusqu'au laboratoire humide. Alors commençait la deuxième partie du travail, plus fastidieuse. L'équipe de biologistes lavait ces échantillons à l'eau de mer sur des étages de tamis de plus en plus fins, à la manière des chercheurs d'or, réalisant ainsi un premier tri par la taille des organismes prélevés. Leurs pépites étaient des particules de vie océane qu'ils étalaient sous quelques centimètres d'eau de mer dans de grands bacs en matière plastique blanche. Avec légèreté et délicatesse, ils les triaient à l'œil ou à la loupe si nécessaire, du bout d'une pince à disséquer très acérée. Tout ce qui est vivant fait partie d'un inventaire et, quand on accompagne le chercheur, la moindre forme de vie prend de l'importance. Dans cette immense mutuelle qu'est la nature, chaque espèce cotise pour le maintien des équilibres, et chacune est traitée par les biologistes avec le même intérêt.

Il m'arrivait souvent de faire un détour par le labo humide, et Laurent m'invitait à regarder toutes sortes d'animalcules, petits crabes, mollusques et autres crustacés que l'agrandissement sous la loupe binoculaire rendait très présents, parfois impressionnants. J'étais surpris et émerveillé par l'abondance et la variété de ces petits organismes vivants à peine visibles à l'œil nu, dont on ne soupçonne même pas l'existence, que Laurent me faisait découvrir.

– Tu sais, Jean-Louis, toute cette petite vie que je fréquente tous les jours, ça me touche d'autant plus que je vais bientôt être papa.

Il était très ému et se sentait assez libre pour m'en parler car il me voyait souvent avec Ulysse dans les bras. Je trouvais aussi que sa femme devait être bien courageuse pour accoucher sans lui.

La collecte d'échantillons était le travail incessant de tous les biologistes et, un soir, on organisa une plongée nocturne. Nous avions installé sur le platier une lampe Airstar diffusant la lumière du jour, alimentée par une pile à combustible qui produisait l'électricité à partir de l'hydrogène ; cette génératrice Axane débitait 2,5 kilowatts en 220 volts. Nous l'avons utilisée pour les éclairages de nuit où le silence s'impose, pour la recherche et le tournage de films. Les plongeurs ramenèrent quelques prélèvements supplémentaires qui ne semblaient pas révéler l'existence d'espèces noctambules particulières.

Une fois triés, tous les spécimens étaient conservés dans des bocaux contenant de l'alcool ou du formol. À leur retour en France, ils seraient disposés sur les étagères des collections d'études au Muséum national d'histoire naturelle, à Paris, en attendant le verdict du spécialiste qui en ferait l'identification. Avec l'aide de Philippe Bouchet, directeur de l'unité taxonomie-collections du Muséum, la constitution du catalogue des espèces de Clipperton va demander du temps, car l'inventaire de la microfaune sous-marine n'a jamais été réalisé autour de l'atoll et il est quasiment certain que la découverte de nouvelles espèces endémiques nécessitera plusieurs avis de spécialistes ou devra attendre les résultats d'analyses génétiques.

À quoi cela va-t-il servir ? Comparées à d'autres travaux identiques de part et d'autre du Pacifique, ces recherches permettront de préciser la répartition géographique des espèces et donc de mieux connaître les flux migratoires dans cet immense océan. De plus, à une époque où la nature est de plus en plus malmenée, où l'on assiste à l'extinction de nombreuses espèces animales et végétales, les inventaires sont devenus des outils de référence et de veille indispensables. Vaste travail, pour lequel les expéditions naturalistes s'imposent à nouveau comme la seule façon pertinente de mesurer l'impact des activités humaines sur la planète.

Le 29 janvier au soir, il était écrit au tableau : « Zoé est née, bienvenue au monde ! » Pour fêter l'heureux papa, on servit du vin à table.

Laurent Albenga quitta Clipperton à la rotation suivante pour retrouver sa petite famille et le chemin du Muséum, où il est technicien de collections.

CHAPITRE 11

Le guano. Exploitation du phosphate. Les oubliés de Clipperton.

Un crabe passant sur mes jambes nues me réveilla brutalement. Il était un peu plus de 15 heures et je terminais la sieste que je faisais tous les jours sur un lit de camp abrité par une bâche en pleine cocoteraie. Il pleuvait encore assez fort et je m'assoupis à nouveau en attendant la fin de l'averse. Une forte odeur d'ammoniac me sortit d'un sommeil léger. L'ondée qui venait de s'abattre avait nettoyé le ciel et le sol mouillé fumait dans l'air immobile sous un soleil éclatant. Il faisait à nouveau très chaud et l'odeur me prit à la gorge. Jamais auparavant je n'avais senti une telle exhalaison du sol. Il faut dire qu'il n'avait pas plu depuis quinze jours et qu'un concentré de déjections d'oiseaux gorgeait l'humus sur une bonne épaisseur : on se serait cru sur une fosse à purin. Pour la première fois, les fous commençaient à m'indisposer.

Sur Clipperton, les fous sont partout. Les fous bruns et à pieds rouges ont envahi la cocoteraie, et les fous masqués occupent pratiquement tous le reste de l'atoll. Comme les périodes de reproduction se succèdent à une bonne cadence, les cris de séduction et les bagarres associées sont permanents et intenses. Avec plus de cent mille oiseaux, la colonie de fous masqués est la plus importante du monde. On finit par s'habituer à ce concert permanent de caquètements rauques, nasillards, parfois stridents, sur un fond de houle du large et de bruissement du vent dans les feuilles des cocotiers. Ces oiseaux ne craignent pas l'homme, qu'ils n'ont jamais connu, si bien que nous vivions ensemble dans une cohabitation très étroite. Il y a quelques points communs entre ces colonies de fous et les roqueries de manchots des îles subantarctiques : une forte densité de population, des « prises de bec » aussi bruyantes, et l'on peut de la même façon déambuler entre les oiseaux au sol sans qu'ils bougent... Vous n'êtes quand même pas à l'abri d'un coup de bec pour vous garder en respect. Signalons au passage qu'un coup de bec de fou sur un mollet nu est bien plus douloureux que celui du manchot, généralement amorti par une botte. Même si la placidité des fous invite au rapprochement, il faut s'en méfier car ils ont un cou très long qu'ils déploient avec une étonnante promptitude. Ne perdons pas de vue qu'ils attrapent des poissons volants et, pour bien les saisir, le bec est tapissé d'une fine dentelure très acérée dirigée vers l'intérieur du gosier, si bien qu'il est difficile de s'en échapper. Je me suis fait mordre la main à plat par un fou brun et, comme je tirais fort pour l'arracher du bec, ses petites dents cartilagineuses ont tracé deux plaies, sur le dos et la paume, qui ont mis du temps à cicatriser.

Dès que l'alizé a repris ses droits, après l'accalmie qui a suivi le passage du grain, cette forte odeur d'ammoniac s'est dissipée, mais le bombardement de fientes n'a pas cessé. Dans la proximité du camp, chacun recevait en moyenne trois ou quatre déjections par jour : celles des fous bruns, de couleur blanche, assez liquides et sans odeur, et celles des frégates, noires, plus consistantes, sentant fortement le poisson après le parcours intestinal. Nous nous sommes habitués à l'odeur, mais moins aux « raids aériens » incessants. Rien ne pouvait être laissé dehors, un fou ferait inévitablement ses besoins dessus. Impossible d'étendre le linge sans abri, de laisser une bassine d'eau à l'air libre, le moindre perchoir étant l'occasion de poser une selle.

Cette accumulation massive de fientes, le guano, a fait rêver quelques aventuriers en quête d'eldorado. Comme nous l'avait expliqué le Pr Trichet, le phosphore contenu dans le guano réagit avec le calcaire du récif pour donner le phosphate de calcium. Ce phosphate s'est formé durant plusieurs siècles par l'infiltration des eaux de pluie, enrichies du phosphore contenu dans le guano. Le phosphate a toujours été un minerai très recherché pour les engrais et les lessives, et au milieu du XIXe siècle on découvrit que les îles couvertes de guano représentaient de bons gisements. Il s'ensuivit des prises de possession d'îles désertes ou abandonnées servant de refuges aux oiseaux. Pour ce faire, les États-Unis d'Amérique votèrent le 18 août 1856 le *Guano Island Act*, autorisant tout citoyen nord-américain à exploiter le guano sur des îles inhabitées. Ainsi l'Oceanic Phosphate Company de San Francisco, qui exploita le guano de Clipperton à partir de 1892, fit flotter le pavillon américain sur l'île, sans se soucier du fait qu'il s'agissait d'une île française depuis sa prise de possession par Le Coat de Kerveguen, en 1858. Le bateau de la compagnie venait régulièrement, apportant la relève d'ouvriers et les vivres, et ramenait le phosphate dans des sacs en toile de jute.

Une société anglaise, la Pacific Island Company, qui s'adonnait à d'autres types d'exploitations dans les îles du Pacifique, s'intéressait à l'affaire et envoya John Arundel pour effectuer l'expertise des ressources de Clipperton. Ce Britannique passionné d'histoire naturelle ramena d'ailleurs de nombreux spécimens, dont un lézard qui porte aujourd'hui son nom, le scinque d'Arundel. À son retour à San Diego, le 14 août 1897, un journaliste vint l'interroger et mentionna dans le journal local des propos recueillis à bord, selon lesquels le pavillon britannique devrait désormais flotter sur Clipperton. Dans son article, le journaliste s'offusquait de cette allusion de mauvais goût de la part des Britanniques concernant une île américaine. Cette nouvelle, reprise par le *Herald* de New York, fit l'effet d'une bombe à Mexico. Le journal mexicain *El Tiempo* rétorqua en dénonçant vigoureusement les propos du journaliste américain de San Diego qui clamait l'appartenance de Clipperton aux États-Unis. Le Mexique n'avait pas l'intention d'en rester là.

De son côté, le ministre français des Affaires étrangères, ayant appris que le pavillon américain flottait sur Clipperton, prévint le ministre de la Marine, qui adressa au commandant du croiseur *Duguay-Trouin*, stationné à San Francisco, l'ordre de se rendre sur l'atoll. Le bateau français arriva sur l'île le 24 novembre 1897. Dans son rapport, le commandant Fort rapportait : « On distingua à la pointe nord-est de l'île un groupe de maisons près desquelles des habitants hissaient, vers 7 heures et demie, le pavillon des États-Unis. » Le lieutenant de vaisseau Terrier fut désigné pour commander le détachement envoyé à terre. Ils furent accueillis par trois hommes qui se montrèrent empressés à les aider. L'un d'eux parlait français. Terrier rapporta qu'ils travaillaient pour l'Oceanic Phosphate Company et qu'ils étaient relevés tous les ans. « Au dire de ces hommes, leur compagnie basée à San Francisco aurait l'intention de se défaire de cette île qu'ils auraient mise en vente. Un Anglais serait venu l'été dernier et aurait déclaré qu'au cas où il s'en rendrait acquéreur il ferait construire une jetée pour faciliter le chargement. » Tout cela coïncidait avec la visite d'Arundel. À la lumière de ce rapport, le gouvernement français pria le chargé d'affaires de l'ambassade de France à Washington de se renseigner sur l'Oceanic Phosphate Company de San Francisco. Au vu de la situation assez confuse, il informa le secrétariat d'État américain, qui transigea très vite : « L'Oceanic Phosphate Company n'a aucun droit sur le guano de Clipperton et le gouvernement des États-Unis d'Amérique reconnaît la souveraineté française sur l'atoll. » La position américaine était clarifiée, par contre le Mexique n'avait pas l'intention de s'en laisser conter par la France.

Certain de sa souveraineté sur Clipperton, le gouvernement mexicain décida d'envoyer un bateau de guerre pour effectuer une reconnaissance dans l'île et demanda au commandant d'exiger le départ des habitants. Le *Democrata* arriva sur l'île le 13 décembre 1897, quelques semaines après le départ du navire français *Duguay-Trouin*. Le pavillon américain flottait encore à proximité des bâtiments. À la demande du lieutenant mexicain Pereyra, les trois hommes déclinèrent leur identité ; Theodor Gossman, chef d'équipe, Allemand naturalisé américain, Heinrich Schmidt, Allemand, et Frédéric Nelson, Anglais. Les trois *guanos*, comme ils furent surnommés, amenèrent la bannière étoilée sans se faire prier et les couleurs mexicaines furent hissées pour la première fois sur Clipperton. Le bateau quitta l'île le 15 décembre avec, à bord, Schmidt et Nelson qui acceptèrent d'être conduits dans un port mexicain. Gossman, responsable des équipements, refusa d'abandonner les installations sans l'accord de sa compagnie et resta seul sur l'île.

La France avait du mal à affirmer sa souveraineté ; les Mexicains étaient convaincus d'avoir hérité Clipperton de l'Espagne, dont ils attendaient toujours les documents officiels, introuvables à Madrid et à Séville. L'ambassadeur de France à Mexico prit l'initiative et remit au gouvernement mexicain la déclaration de prise de possession, faite au nom de la France le 17 novembre 1858 par Le Coat de Kerveguen, sa notification auprès du consul de France à Honolulu et l'accusé de réception de la notification par le ministre des Affaires étrangères des îles Hawaii. Cette démonstration de preuves n'eut qu'un effet limité.

Arundel, envoyé par la Pacific Island Company pour expertiser le potentiel de Clipperton, avait estimé le stock de phosphate à quatre cent quatre-vingt mille dollars. La compagnie britannique, qui avait acheté la concession à la société américaine Oceanic Phosphate Company pour cent mille dollars, entendait bien l'exploiter. Elle négocia directement avec le gouvernement mexicain une prime de soixante-quinze centimes par tonne de phosphate exporté. Prudente, la société anglaise spécifia que le contrat serait nul et non avenu si le Mexique perdait ses droits de souveraineté.

Sous la direction d'Arundel, nommé vice-président de la Pacific Island Company, l'exploitation du phosphate reprit. Un vapeur appareilla de San Francisco, emmenant quatre-vingts ouvriers japonais engagés aux îles Sandwich, dont une majeure partie fut employée à construire des infrastructures : un circuit de wagonnets sur rail pour faciliter l'acheminement et, surtout, deux grands appontements, un sur la côte sud-ouest et l'autre sur la côte nord, pour l'embarquement du minerai. Ces constructions bénéficiaient d'un considérable réservoir de bois et matériaux en tout genre provenant de l'échouage du

Kinkora, un navire anglais de Belfast. L'exploitation du guano par la compagnie britannique se poursuivit, sous pavillon mexicain, jusqu'en 1902, quand la Pacific Island Company décida de se tourner vers d'autres îles au meilleur rendement. Elle laissa deux gardiens sur Clipperton : Larsen et Schultze. Les gisements de Nauru, Bannaba et Océan produisaient un minerai contenant jusqu'à 88 % de phosphate, la plus haute teneur au monde, avec des réserves estimées à 10 millions de tonnes.

Le gouvernement mexicain souhaitait cependant continuer l'exploitation du guano de Clipperton, ce qui était surtout une façon d'occuper l'île. La société mexicaine Phosphato Pacific Compania fut créée, administrée par un Britannique, Arthur James Brander, qui commanderait l'exploitation sur l'atoll. L'accord fut signé en mai 1905. Le 11 septembre, le lieutenant Arnaud débarqua avec une garnison de douze hommes et leurs familles, tous des Indiens, accueillis par Schultze qui était là depuis trois ans. Larsen avait été muté à Nauru. Ils furent rejoints par une soixantaine d'ouvriers italiens placés sous la direction de Brander. Le village s'agrandit de nouvelles habitations. Un potager fut construit dans des caisses surélevées à l'abri des crabes, et il fournit de bons légumes frais ; la pêche, le poulailler et quelques porcs apportaient leur lot de protéines. En 1906, l'ingénieur français Michalon vint installer le phare en haut du rocher, avec une lanterne fournie par la société Barbier-Bernard et Turenne, rue Ordener à Paris ; il s'agissait d'un feu fixe à quatre éclipses qui portait à 21 milles. Les rotations du bateau de la Phosphato Pacific Compania entre l'île et le continent apportaient des vivres frais, du courrier et des nouvelles du pays. Arnaud repartit sur le continent en juin 1908 et fut de retour à la fin août avec sa femme, Alicia, qu'il venait d'épouser. Elle prit tout de suite en main les conditions de vie des femmes : elle leur apprit la lecture, la cuisine, la couture, l'hygiène des enfants... D'après les récits en notre possession, la vie de ce village isolé du reste du monde était des plus agréables. À la joie de tous, Alicia annonça qu'elle attendait un enfant. Arnaud voulut qu'elle retourne au Mexique, mais elle préféra accoucher sur l'île. Le 29 juin 1909, avec l'aide des femmes du camp, Pedro Ramon de Arnaud naquit sur cet atoll isolé du monde.

L'exploitation du phosphate tournait au ralenti mais l'occupation de l'île confortait le Mexique dans sa revendication territoriale. Le lieutenant Arnaud, nommé gouverneur, assurait sa mission : le pavillon mexicain flottait tous les jours sur Clipperton. En 1913, Arnaud fut promu capitaine d'une équipe de quarante personnes. La colonie connaissait des jours tranquilles quand une succession de malheurs et de difficultés mit un terme à cette période de prospérité.

À la fin de février 1914, au cours d'une violente tempête, précoce pour la saison, ils assistèrent impuissants à l'échouage du *Nokomis*, une goélette américaine drossée à la côte par d'imposantes déferlantes. Les naufragés en grande difficulté réussirent à atteindre le platier avec l'aide des hommes de la garnison. Ils étaient douze, dont le capitaine Jensen, sa femme et leurs deux filles. Arnaud accueillit les rescapés dans un village éventré par la tempête : aucun bâtiment n'avait été épargné et le potager totalement détruit. Tous se mirent au travail pour réparer les dégâts et, au bout d'une semaine, la vie sur Clipperton se réorganisa. Schultze, qui représentait la Phosphato Pacific Compania, commençait à s'inquiéter car il avait douze bouches supplémentaires à nourrir et il était sans nouvelles depuis plusieurs mois du bateau de la compagnie qui aurait dû apporter des vivres. La destruction du potager n'arrangeait rien. Il fallait se rationner et la tension commençait à monter. Schultze, qui faisait office d'intendant, avait de plus en plus de mal à affronter les regards inquiets qui se tournaient vers lui ; à la suite d'une altercation avec le capitaine Arnaud, il fut séquestré à l'infirmerie. Face à des conditions de survie de plus en plus précaires, Jensen, le capitaine du *Nokomis*, décida d'envoyer son lieutenant et trois marins au Mexique pour aller chercher des secours. La chaloupe qu'il avait récupérée sur l'épave de son bateau n'avait pas souffert dans le naufrage. Les quatre hommes quittèrent Clipperton le 4 juin 1914 en direction d'Acapulco, où ils arrivèrent, épuisés, après dix-sept jours de mer. Par chance, le croiseur américain *USS Cleveland* était en escale et le lieutenant prévint le commandant de la gravité de la situation :

– Commandant, il y a sur Clipperton près de quarante personnes quasiment sans nourriture, qui attendent désespérément l'avitaillement du bateau de la Phosphato Pacific Compania. Il n'est pas passé depuis plus de six mois et il faudrait agir très vite.

Le commandant Williams donna l'ordre d'embarquer immédiatement des caisses de vivres et fit route sur Clipperton, où le bateau arriva le 25 juin.

Imaginez la joie des survivants apercevant l'*USS Cleveland* se diriger vers eux ! Les marins sur la chaloupe furent accueillis par des hourras. Jensen et l'équipage du *Nokomis* apprirent avec soulagement que l'aventure audacieuse de leurs quatre marins avait réussi. C'était un grand moment de bonheur pour tous les membres de la communauté. Mais le commandant de l'*USS Cleveland* était porteur de nouvelles moins réjouissantes, qu'il confia au capitaine Arnaud :

– Capitaine, votre pays subit une guerre civile très meurtrière. Le président Madero, qui tentait de mettre en place des réformes démocratiques, a été renversé et assassiné après un soulèvement mené par le général Huerta. Huerta a installé une dictature et le peuple s'est rebellé derrière Emiliano Zapata, qui s'est allié au grand chef révolutionnaire Pancho Villa. Le pays est à feu et à sang. Je crois, monsieur Arnaud, qu'on vous a oublié, et rien ne permet de penser que vous serez secouru prochainement, d'autant que la guerre a éclaté en Europe. Il y a suffisamment de place sur l'*USS Cleveland* pour ramener tout le monde dans un port mexicain. Il est de mon devoir, capitaine, de vous prévenir. Réfléchissez…

Arnaud se doutait depuis quelques mois que les choses allaient mal dans son pays. Il y avait été pour les fêtes de fin d'année, et la canonnière *El Korigan* l'avait ramené à la fin janvier 1914. Après un conseil qu'il tint avec son équipe, tous décidèrent de rester sur l'île. Le 25 juin 1914, l'*USS Cleveland* quitta Clipperton avec les rescapés du *Nokomis* et Schultze ; sur la côte, une trentaine de personnes, hommes, femmes et enfants, placés sous les ordres du capitaine Arnaud, regardaient s'éloigner le navire.

Réfugiée volontaire sur cette île déserte, la garnison du capitaine Arnaud allait-elle réussir le pari de s'y rendre autonome ?

Six mois plus tard, vers le début de 1915, aucun bateau n'était venu et les réserves de nourriture étaient épuisées. Les décès se succédaient, probablement à cause de la malnutrition et du scorbut. Dix mois après le départ de l'*USS Cleveland*, il ne restait que seize survivants, hommes, femmes et enfants, qui se nourrissaient de poissons, d'oiseaux et de leurs œufs, et de quelques noix de coco qu'ils cueillaient parcimonieusement. À la fin du mois de mai, un cyclone ravagea les habitations et détruisit les restes des sacs de farine apportés par l'*USS Cleveland*. Se sentant responsable de la tragédie qui se déroulait sous ses yeux, le capitaine Arnaud commençait à broyer du noir. Un jour, croyant avoir vu un bateau à l'horizon, il exigea de ses hommes, à l'exception d'Alvarez, le gardien du phare, d'aller avec lui à sa rencontre chercher des secours. Tous lui obéirent, mais au-delà de la passe une bagarre éclata à bord de l'embarcation, qui chavira. Ils périrent tous mangés par les requins sous les yeux horrifiés de Mme de Arnaud, qui rapporta l'histoire.

Il ne restait sur l'île que dix personnes, trois femmes, le gardien du phare et six enfants. Alicia de Arnaud y Tirza, la veuve du lieutenant disparu dans ce naufrage, était enceinte. Alicia accoucha d'un petit Angel trois semaines après le drame, le 17 juin 1915. N'ayant pas assez de lait, elle le nourrit avec un mélange de lait de coco et de jaune d'œuf de fou qu'elle lui donnait à la petite cuillère. Sous la gouvernance d'Alicia de Arnaud, qui n'avait que vingt-sept ans, la vie du camp se stabilisa dans l'attente d'un hypothétique secours. L'huile pour la lanterne du phare vint à manquer, ce qui plongea le gardien dans l'oisiveté. Était-ce pour ces raisons et parce qu'il était le seul homme sur l'île ? Il se prit pour le roi de Clipperton. Il devint menaçant à l'égard des femmes, dont il exigeait la totale soumission. Un temps Alvarez respecta Mme de Arnaud, jusqu'au jour où il exigea qu'elle le rejoigne dans sa cabane. Tirza lui confessa les tortures qu'il lui faisait endurer. Elles décidèrent de l'abattre à la prochaine occasion. Le 18 juillet 1917, elles se rendirent à sa cabane, où Alvarez faisait rôtir des oiseaux. Mue par une haine et une violence inouïes, à force d'avoir souffert, Tirza lui enfonça le crâne d'un coup de marteau et termina par des coups de couteau dans la poitrine.

Alors que les deux femmes retournaient au camp, paniquées par cette vision d'horreur après le crime qu'elles venaient de commettre, un navire arriva droit sur l'île. Elles l'avaient probablement remarqué avant le crime et souhaitaient devancer Alvarez, qui menaçait de tuer tout le monde si un bateau venait les secourir. L'*USS Yorktown* patrouillait dans le secteur car les Américains craignaient que les Allemands n'utilisent Clipperton comme base arrière de sous-marins. Les survivantes et leurs enfants agitaient les mains sur la grève. Le commandant de l'*USS Yorktown* envoya deux hommes à terre, qui firent tout de suite état de la situation. Sans plus attendre, et pour des raisons « humanitaires » selon les termes du rapport du commandant, les rescapés furent embarqués :

- Señora Alicia de Arnaud, 29 ans ;
- Ramon de Arnaud, 8 ans ;
- Alicia de Arnaud, 6 ans ;
- Lydia de Arnaud, 4 ans ;
- Angel de Arnaud, 2 ans (son fils né après le naufrage) ;
- Tirza Randon, 22 ans ;
- Guadalupe Cardon, 2 ans (sa fille née après le naufrage) ;
- Altagracia Quiroz, 22 ans (femme de maison de Mme de Arnaud) ;
- Rosalia Nava, 15 ans ;
- Francisco Irra, 12 ans ;
- Antonio Irra, 6 ans.

Les trois derniers enfants sont orphelins.

À leur débarquement dans le port mexicain de Salina Cruz, le pays était en proie à une guerre civile extrêmement meurtrière – plus d'un million de morts –, menée par les révolutionnaires Emiliano Zapata et Pancho Villa. Que faire, où se réfugier après douze ans d'exil ?

Tirza Randon et sa fille Guadalupe partirent pour Acapulco, où l'on perdit leur trace. Les trois orphelins, Rosalia, Francisco et Antonio, furent accueillis dans un orphelinat de Mexico, et personne ne peut dire ce qu'ils sont devenus.

Mme de Arnaud, qui appartenait à la classe politique des généraux déchus, se réfugia dans sa famille et essaya de faire valoir pour elle-même et les survivants, les années de service passées à Clipperton afin de défendre la souveraineté mexicaine ; elle n'obtint rien. Le petit Angel, rachitique, n'avait pas récupéré de ses deux années de malnutrition et décéda un an après leur retour de l'île, le 18 août 1918. Épuisée par cette longue période de survie et toutes ces souffrances, Mme de Arnaud mourut à trente-quatre ans d'une pneumonie foudroyante. Pedro Ramon de Arnaud, son premier fils né à Clipperton, fut retrouvé par le commandant Cousteau, qui le ramena sur son lieu de naissance en 1980 pour le tournage d'un film ; le témoignage assez confus de cet homme de soixante et onze ans est très touchant. Il est décédé à l'âge de quatre-vingt-quatre ans.

Le capitaine Arnaud, né à Orizaba, au Mexique, était issu d'une bonne famille française de Barcelonnette dans les Alpes-de-Haute-Provence. Sa ville natale lui a érigé un buste, avec un bas-relief représentant le couple Arnaud et un enfant. On y lit cette inscription : « Capitaine Ramon Arnaud Vignon qui en union avec son épouse, l'héroïne Alicia Rovira, exemple de vertu de la Femme Mexicaine, a maintenu la souveraineté du Mexique sur l'île de la Passion jusqu'à perdre sa vie le 7 octobre 1914. »

CHAPITRE 12

Clipperton, une île française. Arbitrage par le Roi d'Italie. Que faire de cette possession ?

Les navires de la Marine nationale passaient régulièrement et mentionnaient invariablement dans leurs rapports : « Le pavillon mexicain flotte toujours sur Clipperton. » Un jour de 1907, au cours d'une escale à San Francisco, le commandant du navire militaire français *Catinat*, qui commandait aussi la division navale de l'océan Pacifique, rencontra John Arundel. L'homme d'affaires britannique lui dit en substance : « Comme les Américains affirmaient que Clipperton ne leur appartenait pas, je me suis tourné vers le gouvernement mexicain pour obtenir la concession d'exploitation de l'île. » Le commandant transmit l'information au ministre de la Marine à Paris.

Autre témoignage, celui du capitaine du *Touraine* :

> Étant passé en vue de Clipperton pour régler le chronomètre, nous avons vu flotter le pavillon mexicain. On a installé un magnifique wharf sur lequel on distingue une grue. Il a de 180 à 250 mètres de long. J'ai appris au *Marine Department* de San Francisco, que c'était le gouvernement mexicain qui avait fait ces installations et que l'île appartenait au Mexique. Mes instructions nautiques disent qu'elle est française.

Un journaliste, Émile Gautier, souligne que Clipperton « va remplir un rôle important quand sera terminé le canal de Panama, raison pour laquelle les puissances se le disputent dès maintenant ». Un courrier du ministère des Affaires étrangères à la Marine fait état d'un certain désintéressement :

> Complètement entouré par une ceinture de corail étroite, très bas, sans végétation et s'élevant à pic du fond de la mer de façon à n'offrir aucun abri ni aucun mouillage pour un navire [...], Clipperton ne saurait devenir un point d'escale recherché par les navigateurs.

Ce qui n'est pas faux. Mais une lettre du ministre mexicain des Affaires étrangères à l'ambassadeur de France à Mexico, datée du 3 août 1906, remit Clipperton sur la scène diplomatique. Elle disait en substance que l'Espagne ne retrouvait pas les documents de sa souveraineté sur l'île quand, le 24 août 1821, elle avait signé le traité de Cordoba (Cordoue) conférant au Mexique sa souveraineté nationale. Le Mexique ne pouvait donc pas considérer Clipperton comme un héritage de l'Espagne. Les deux pays se mirent d'accord le 2 mars 1909 pour soumettre au roi Victor-Emmanuel III l'arbitrage de la souveraineté, que le ministre des Affaires étrangères d'Italie accepta. Cela consistait pour chacune des parties à remettre au haut arbitre, dans des temps déterminés, un mémoire défensif, un mémoire de réplique et, enfin, un mémoire récapitulatif.

Juristes, historiens, archivistes des deux pays se mirent au travail. La France exposa la prise de possession en bonne et due forme par Le Coat de Kerveguen en 1858. La réplique mexicaine portait sur plusieurs points. Les Mexicains considéraient que Clipperton avait toujours fait partie des colonies espagnoles et donc, au moment de sa séparation avec la mère patrie, l'île était inscrite de fait dans la Constitution du Mexique. Elle n'était donc pas *res nullius* (n'appartenant à personne) quand Le Coat de Kerveguen en avait pris possession, en 1858. Sa revendication était donc illégale. D'autre part, à supposer qu'elle le fût, la France avait perdu son droit d'occuper l'île, faute de l'avoir exercé continuellement. Le dossier mexicain faisait aussi mention d'un document plus ancien, le journal de navigation d'un capitaine de la Marine espagnole envoyé par Cortés aux Moluques en 1527, et de ceux d'autres navigateurs espagnols qui seraient passés en vue de Clipperton. Mais l'étude de ces documents laissa les experts dubitatifs. Aucun d'eux ne situait ou décrivait l'île avec autant de précision que le journal de navigation de la *Découverte*, où l'on trouve à la page du samedi 4 avril 1711 : « Découverte d'une île que nous avons nommée île de la Passion » ; c'était un Vendredi saint, jour de la Passion de notre Seigneur. Les hommes de la *Princesse* et de la *Découverte*, deux frégates françaises appartenant à un armateur de Dunkerque qui commerçait avec la Chine, avaient réellement vu cette île. La position, la description et le dessin qui étaient consignés apportaient des preuves indiscutables. L'expertise du papier sur lequel la carte de l'île de la Passion avait été dessinée, où apparaissait clairement la signature du rocher, confirmait l'authenticité du document, mis en doute par les Mexicains.

Les mémoires récapitulatifs français et mexicains furent remis au gouvernement italien au début de 1914. La guerre interrompit la procédure arbitrale, dont le résultat n'était soumis à aucune date butoir. À la fin de la guerre, le responsable du magasin de l'Imprimerie nationale signala à sa hiérarchie qu'un stock de mémoires sur la possession de Clipperton gênait et commençait à se détériorer. Le directeur écrivit au service du chiffre et des documents secrets des Affaires étrangères :

> Un inventaire a permis de constater l'existence de 48 exemplaires brochés de l'ouvrage intitulé *Arbitrage entre la France et le Mexique. Île Clipperton*, dont le bon à tirer avait été donné par vous aux ateliers le 24 avril 1911. Ces exemplaires risquent à la longue de se détériorer.

Le temps passa et l'affaire ne fut relancée qu'en 1926 par une lettre du ministre des Colonies au ministre des Affaires étrangères, insistant pour presser le roi d'Italie de rendre sa décision d'arbitrage. Il y avait plusieurs raisons à cela : le Mexique, par ses initiatives matérielles et son occupation, don-

Vue aérienne de l'atoll fermé de Clipperton.

Le rocher à proximité de l'ancienne passe fermée.

Le «trou sans fond» circulaire
taillé dans un vieux massif corallien au sud du lagon.

Le *Rara Avis* arrive à Clipperton.

Accueilli par les grands dauphins du Pacifique.

Radeau fabriqué avec le bois de construction pour traverser le lagon.

Montage de la tour d'observation.

Port Jaouen et la tente abritant des équipements de plongée.

La passe pour sortir en mer est toujours périlleuse.

Chaîne humaine pour le débarquement
de la nourriture à chaque rotation du bateau.

Le bosquet de cocotiers où est installé le camp.

Tout autour de l'île, la côte est jonchée de matière plastique amenée par la mer.

Petite ascension pour aller au phare du rocher.

Jean-Claude Brive,
responsable des opérations de plongée.

Gérard Guérin,
mécanicien, bricoleur génial.

Janot Prat, responsable
des activités nautiques.

Au milieu des munitions abandonnées par les Américains en 1944.

Fou brun en glissade sur un panneau solaire.

Changement des filtres à pollen tous les lundis.

Réunion de crabes sur le bord du lagon.

Fou masqué.

Fou à pattes rouges.

Bernard Garibal et David construisent le château d'eau.

La cabane de Gérard Guérin.

La cabane familiale.

Les toilettes construites par Gérard.

Jean Garcin, chef bourguignon en congé sabbatique d'un mois sur Clipperton.

De tour de vaisselle avec Janot Prat.

L'hôpital de campagne.

La cabane de Camille Fresser.

La tente de Manue Perié.

Gédéon-Village.

Un fou brun se repose en plein océan sur le dos d'une tortue olivâtre.

Murène *Gymnothorax pictus* dans une eau peu profonde sur le platier.

Michel Pascal, dit «Ratator».

En compagnie des ornithologues
Henry Weimerskirch et Mathieu Le Corre.

Alain Couté, du Museum, fait l'inventaire
botanique de Clipperton.

Grosses vagues sur la côte nord-ouest.

Ci-contre :

Raie manta.

Le scinque ou lézard d'Arundel.

Le gecko mutilé est relativement abondant au Rocher.

Roger Swainston, peintre naturaliste
dont la spécialité est de peindre sous l'eau.

Ci-contre, poissons endémiques sur l'île de Clipperton :

Poisson ange.

Mérous tachetés.

Poisson demoiselle.

Coral Hawkfish se protégeant la nuit dans le corail.

Stéphane Calmant
installe la station sismologique.

Bernard Seret,
spécialiste des requins au Museum.

Claude Peary et Jean-Louis Menou trient leur collecte d'algues rouges dans le labo humide.

Elsa et Elliot en visioconférence avec une école sous le regard attentif de l'ornithologue Charly Bost.

Après avoir trouvé la nappe phréatique,
Gérard construit les douches pour hommes.

Samuel Audrain, bon marin et musicien, et Manue Perié, bon marin, avaient la confiance de l'équipe pour les sorties en mer par tous temps.

Camille Fresser, ingénieur en électronique et informatique en stage.

En visioconférence avec des classes en France.

La population de frégates est en augmentation sur Clipperton.

Poussin de fou masqué devant l'antenne EADS Astrium pour Internet haut débit.

Transport des sacs de déchets en plastique jusqu'au *Prairial* de la Marine nationale.

Pascal Salun prolongea son séjour de cuisinier par un stage d'éco-volontaire.

Marion Lauters, éco-volontaire pour le nettoyage de la côte.

Le crabe de Clipperton, *Gecarcinus platana*.

Le couvercle d'un coffre découvert
par le Dr Jean-Michel Pontier à 52 mètres de fond.

Elsa dessine les illustrations de son journal de bord pour les enfants.

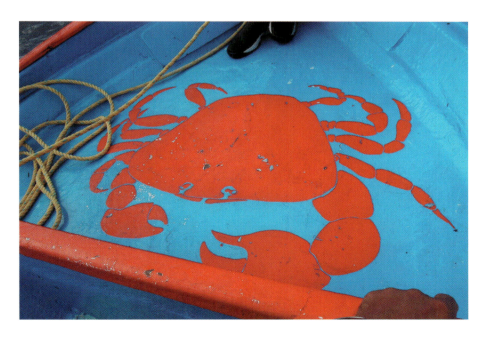

Basile, le compagnon d'Elliot, peint par Elsa sur la lancha.

Avec Elsa, Elliot et Ulysse.

Elliot et Ulysse fabriquent leurs jouets avec des matériaux échoués sur la plage.

nait consistance à ses prétentions et le risque était grand que l'arbitre ait l'impression que la France attachait fort peu d'importance à ses droits. D'autre part, de nombreux projets d'installation sur Clipperton étaient en attente et il aurait été bon de pouvoir y apporter une réponse.

La sentence fut finalement rendue le 28 janvier 1931, stipulant que la souveraineté sur l'île de Clipperton appartenait à la France depuis le 17 novembre 1858, date de la prise de possession par Le Coat de Kerveguen. La France accueillit la nouvelle dans l'indifférence ; la réaction des Mexicains fut par contre très violente envers Paris et Rome. Au-delà d'un sentiment d'injustice, l'application de la sentence ne constituait pas une simple abdication. L'île de Clipperton figurait en effet parmi les possessions mexicaines inscrites dans la Constitution. En octobre 1932, le Sénat du Mexique envisagea la réforme de la Constitution en cession secrète « pour éviter de passionner l'opinion publique ». Le 14 décembre 1932, le Sénat approuva en troisième lecture la réforme qui éliminait Clipperton du territoire national. Le 8 mars 1933, la Chambre des députés et le Sénat acceptèrent le principe de la sentence arbitrale, mais il fallait encore que la réforme de la Constitution soit votée par chacun des États composant la fédération du Mexique, ce qui allait retarder sa mise en application. L'attente n'était pas sans risques car à Mexico des bruits couraient que la France voulait céder Clipperton aux États-Unis en échange d'une remise partielle de dette. Une autre rumeur circulait sur un projet de vente de l'île au Japon. Paris dut démentir, le gouvernement français n'ayant aucune intention de rétrocéder Clipperton à quelque pays que ce soit. Enfin, le 18 janvier 1934, le décret supprimant l'île de Clipperton de la liste des possessions mexicaines parut au *Diario oficial*, le Journal officiel. Clipperton était officiellement rendu à la France. Le poids de la France en faveur du Mexique pour son élection au Conseil de la Société des Nations en 1932 semble bien avoir facilité l'abandon officiel de Clipperton par le gouvernement mexicain.

Afin d'acter la souveraineté française, le ministre des Colonies demanda au ministre de la Marine d'envoyer un bâtiment de guerre. Le deuxième bureau de la Défense informa les Affaires étrangères que le croiseur-école *Jeanne d'Arc* relâcherait à Clipperton le 20 mai 1933. À la suite d'une fuite d'informations, quelques journaux, dont *L'Intransigeant*, titrèrent « Prise de possession de Clipperton par le *Jeanne d'Arc* », ce qui raviva la plaie mexicaine, et le voyage fut annulé pour raisons diplomatiques. Une nouvelle escale fut décidée pour le 2 décembre 1934. Ce jour-là, la houle ne permit pas le débarquement. Le *Jeanne d'Arc* repartit pour un voyage officiel aux États-Unis et revint le 26 janvier 1935.

Pour la première fois, le drapeau français fut hissé en haut du rocher et une plaque de bronze commémorative scellée au pied de la face est; y était gravé « 2 décembre 1934 ». La carte américaine utilisée à bord du *Jeanne d'Arc* fut corrigée à partir des mesures au télémètre et des alignements effectués au compas gyroscopique. Un hydravion fut même catapulté et les photos aériennes permirent d'apporter des précisions sur les contours de la côte et du lagon. C'est cette carte que propose encore le service hydrographique de la Marine. Une nouvelle carte devrait être réalisée prochainement avec le tout récent navire océanographique *Pourquoi pas ?* (Ifremer-Marine nationale), équipé sous sa coque d'un sondeur multispectral de grande précision.

La situation géographique de Clipperton, son isolement, le fait que l'île soit inhabitée en firent une place convoitée pendant la Seconde Guerre mondiale. Un peu plus de quatre mois après l'attaque surprise par les Japonais de Pearl Harbor, dans le Pacifique, l'*USS Atlanta* fit une reconnaissance sur Clipperton le 17 avril 1942. Le projet d'installation d'une base, placée sous l'autorité du célèbre contre-amiral de réserve Richard Byrd, qui s'était illustré par ses vols en Antarctique et au pôle Nord, ne fut pas retenu. Le rapport établissait que l'on pouvait installer une piste pour avions de chasse et bombardiers, mais que l'absence d'infrastructure portuaire, le manque d'eau et de place ne permettaient pas d'envisager l'implantation d'une base aéronavale. Le projet d'installation d'une base météorologique fut poursuivi, et elle débuta en décembre 1944. Pendant le débarquement du matériel, les Américains perdirent deux bateaux qui s'échouèrent sur la plage. Plus de 100 tonnes d'équipement furent amenées sur la côte est, où l'on trouve encore des caisses de munitions et des vestiges de gros engins engloutis sous le guano. C'est ce que nous allions appeler le « camp des Américains ». La station météorologique fut installée sur la côte ouest, où il ne reste aujourd'hui pratiquement rien. Au vu du matériel déployé sur l'atoll et du travail de terrassement d'une piste de plus d'un kilomètre de longueur, on peut penser que les Américains avaient d'autres intentions que connaître simplement la météo. L'acte de reddition du Japon fut signé le 2 septembre 1945 ; la station météorologique de Clipperton ne présentait plus d'intérêt pour la défense des États-Unis et le commandement américain donna l'ordre d'évacuer l'atoll le 23 octobre 1945. Les conditions de mer ne permirent pas d'enlever le matériel, que l'oxydation et les cyclones continuent de démanteler.

Mis devant le fait accompli par le commandement de la Navy, le général de Gaulle répondit au télégramme que lui avait transmis l'attaché militaire de l'ambassade de France à Washington :

Paris, le 1er février 1945

Votre télégramme du 29 janvier m'informe de la démarche faite auprès de vous par la Marine américaine au sujet de l'occupation de Clipperton accomplie *motu proprio* par les Américains.
Vous répondrez à la Marine américaine que le secret des opérations ne lui confère pas le droit de violer à Clipperton la souveraineté française. Vous ajouterez que le gouvernement français considère que le respect de cette souveraineté par ses propres alliés est, à ses yeux, plus important pour la conduite de la guerre par notre coalition que le secret d'une opération américaine […].
Veuillez, d'autre part, envoyer sans délai un élément français.

Général de Gaulle.

Puis plus rien jusqu'à ce que, en 1963, le général de Gaulle décide de transférer dans le Pacifique le Centre d'expérimentation nucléaire du Sahara. Une attention toute particulière fut apportée à la propagation de la radioactivité des essais aériens. La Marine se vit confier à la hâte l'installation d'une base à terre sur l'atoll de Clipperton, qui fut occupée trois à quatre mois chaque année de 1966 à 1969. Ces missions, baptisées « Bougainville », furent le support de nombreuses études scientifiques sur le lagon et la faune de Clipperton rapportées par le Dr Niaussat dans un ouvrage réédité par l'Académie des sciences d'outre-mer en 1986.

Et après cela, que faire de Clipperton ?

Sous la pression de l'association Légitime Défense, réclamant la création d'un bagne dans les territoires d'outre-mer, les services de M. Alain Peyrefitte, garde des Sceaux et ministre de la Justice, élaborèrent le décret suivant, publié au Journal officiel du 2 février 1979 :

> Le Premier ministre, sur le rapport du garde des Sceaux, ministre de la Justice, et du ministre de l'Intérieur, vu le Code de l'organisation judiciaire, le Conseil d'État entendu, décrète : Article 1er. – Sont territorialement compétentes pour l'île de Clipperton les juridictions de l'ordre judiciaire ayant leur siège à Paris.

Un autre texte précisait : « Par ailleurs, le régime de la délinquance sera harmonisé avec celui de la métropole. » Ce projet fut abandonné.

Le 2 juin 1981, en séance extraordinaire de l'Académie des sciences d'outre-mer, le vœu suivant fut adopté à l'unanimité : « Que Clipperton soit équipé d'un port de pêche par ouverture et aménagement du lagon, et d'une piste d'atterrissage pour avions à décollage court, afin de rompre son isolement. » Une concession de service public de trente ans fut octroyée à la Société d'études, de développement et d'exploitation de l'îlot Clipperton (SEDEIC), rattachée administrativement à Papeete. Ses objectifs étaient :

– animer la vie économique de l'île ;
– œuvrer à la mise en valeur de ce territoire ;
– créer des activités comportant un ensemble de services supports de l'industrie de la pêche océanique, avec une aide à la navigation maritime et aérienne (station météorologique).

Interrogé à l'Assemblée nationale sur l'avancement du dossier, M. Bernard Pons, ministre des DOM-TOM, répondit :

> Le dossier de l'atoll de Clipperton fait l'objet d'un accord interministériel pour 1987 et d'une convention qui a été signée le 30 octobre 1986 par le haut-commissaire en Polynésie, qui est administrateur de l'atoll avec la société SEDEIC. Le programme prévu par la convention va commencer ; percement d'accès au lagon […]. Ainsi l'aménagement de l'atoll pourra être entrepris à partir du milieu de 1988. Je précise que cette convention prévoit des mesures très strictes de protection de l'environnement.

Pour des raisons qu'on ignore, ce projet s'est enlisé, le signataire se plaignant d'avoir été peu à peu lâché par les services de l'État et les investisseurs. Après ce nouvel abandon, aucune demande de séjour long n'a été publiquement formulée.

Pour notre expédition de quatre mois sur Clipperton, un permis de séjour nous avait été accordé par le haut-commissaire de la Polynésie française sur présentation d'un dossier assez complet qui concernait surtout l'organisation de la vie sur l'atoll et les moyens dont nous disposions en cas de problèmes de santé. J'avais collecté un certain nombre de documents sur l'histoire récente et la position de la France concernant l'avenir de cet atoll inhabité, dont un dossier à « diffusion restreinte » destiné au président de la République et au Premier ministre, du 15 mars 1985, appelé « Clipperton : un potentiel à exploiter ». L'annexe IV, datée du 8 octobre 1984, s'intitulait : « Extrait d'une étude confidentielle réalisée par le BRGM. » Il était mentionné :

> [...] Quelques dosages d'or et d'argent ont été réalisés dans les eaux du lagon par Geomarex, une société américaine de recherche.
>
> [...] Sur les bases des données analytiques mentionnées par Geomarex, l'or et l'argent sont présents à des niveaux qui permettent d'envisager un processus économique. Cette évidence repose plus sur des supputations que sur des faits contrôlés. Des analyses complémentaires doivent être effectuées.
>
> [...] Cependant, sur la base des teneurs avancées par Geomarex, une estimation grossière indique une possibilité d'extraction de 150 tonnes d'argent et de 2,6 à 6 tonnes d'or.

Le secrétariat d'État chargé des Départements et Territoires d'outre-mer se mit à la recherche d'un statut qui lui autoriserait l'exploitation minière. Dans un courrier du ministre de l'Économie, des Finances et du Budget adressé au secrétaire d'État chargé des Départements et Territoires d'outre-mer, daté du 13 février 1986 et dont l'objet est « Statut juridique de l'atoll de Clipperton », il est écrit :

> Alors que nos deux départements étaient convenus de classer Clipperton dans le domaine public maritime, le ministère du Redéploiement industriel et du Commerce extérieur, par lettre du 5 décembre 1985, a manifesté sa préférence pour le maintien de cet atoll dans le domaine privé de l'État afin de faciliter, en vertu de l'article 7 du Code minier, l'octroi d'un permis de recherche au profit du Bureau de recherches géologiques et minières (BRGM).

Le ministre du Redéploiement industriel et du Commerce extérieur semblait vouloir privilégier l'exploitation minière aux dépens du projet de la SEDEIC. Dans cette même lettre le ministre poursuit :

> Le classement dans le domaine public de l'atoll de Clipperton ne ferait aucun obstacle à l'octroi au BRGM d'un permis

de recherche et d'exploitation qui devrait être doublé d'une autorisation domaniale.

De plus, la domanialité publique répond aux nécessités du projet de création d'un port en haute mer présenté par la société SEDEIC [...].

Dans cette hypothèse ces deux utilisations de l'atoll qui ne sont pas concurrentes peuvent être réalisées ensemble.

En définitive, le classement de l'atoll dans le domaine public maritime me paraît la solution la mieux appropriée à la mise en valeur de cette dépendance.

Une convention fut établie entre le haut-commissaire de la République en Polynésie française et le président-directeur général de la SEDEIC, mais le projet ne vit jamais le jour, pas plus que celui d'exploitation minière.

Un soir, alors que nous étions tous réunis à l'heure du dîner, je demandai le silence pour annoncer une nouvelle importante :

– À vous tous, savants, ingénieurs, arpenteurs des océans... je vais faire un aveu. Il m'a été confié un document secret contenant l'emplacement du trésor de Clipperton.

À en juger par l'attention que j'obtins de la salle, je devais avoir trouvé le ton juste. Je continuai :

– Je ne suis pas en possession d'une certitude mais d'une hypothèse fort probable puisqu'elle a attiré l'attention du BRGM. Il y aurait une importante quantité d'or et d'argent dans les eaux profondes du lagon. Aussi, devant vous tous que je prends à témoins, je demande officiellement à Loïc Charpy et Martine Rodier, respectivement biogéochimiste et chimiste à l'IRD, de procéder à des analyses afin de lever ce doute. Cette hypothèse est fondée sur un prélèvement effectué par un laboratoire américain dans les années quatre-vingt.

Le fait d'être en possession d'un document secret sur lequel était apposée la mention « Diffusion restreinte. Président de la République et Premier ministre » m'attira le respect et donna à chacun le sentiment d'être témoin d'une affaire sérieuse.

– Nous sommes très honorés de la tâche que tu nous confies,

mais, malheureusement, je ne pourrai pas faire les analyses d'or et d'argent ici, il faudra attendre que je revienne à Nouméa, dit Martine. Je pourrai quand même vous les transmettre avant votre départ de l'île.

Entre-temps, le Pr Jean Trichet, géologue et spécialiste du phosphate qui nous rendit visite, m'expliqua que cette concentration de métaux ne le surprenait pas :

– Vous savez, la plus grande réserve d'or se trouve dans les océans, et le lagon fermé de Clipperton agit comme un accumulateur des métaux en suspension dans l'océan qui percolent à travers l'édifice corallien.

Quelques semaines après notre retour en France, Loïc Charpy me confirma que Martine n'avait pas trouvé d'or dans ses analyses et qu'elle confiait un échantillon à un laboratoire parisien, et il ajouta que nous n'avions certainement pas encore mis la main sur le trésor de Clipperton.

Et maintenant se repose l'éternelle question : que va donc faire la France de cet atoll du bout du monde ? J'ai une idée à proposer.

CHAPITRE 13

Drogues et thoniers.

Laurent est arrivé au déjeuner avec un paquet qu'il a négligemment posé sur la table. Je me souviens très bien du bruit assez mat de ce colis sur le plateau en bois de cocotier. 20 centimètres par 15, sur 4 cm d'épaisseur, bien empaqueté avec de l'adhésif qui le rendait étanche ; aucune marque extérieure.

– J'ai trouvé ça dans la carcasse du vieux moteur Caterpillar tout rouillé.

Nous avons tous compris qu'il ne s'agissait pas d'un paquet ordinaire abandonné par des aventuriers de passage.

– On l'ouvre ? demanda Janot.

Même si tout le monde avait une idée précise sur la nature du contenu, je percevais l'impatience générale à voir la marchandise. Il n'y avait aucune raison de dire non.

Ce n'était pas de la poudre, mais une pâte ivoire, le paquet avait pris l'humidité. Janot en prit sur le doigt et se frotta les gencives. Peu de temps après il annonça le verdict :

– Hé, les gars, c'est vraiment de la pure, j'ai la moitié de la bouche anesthésiée.

Clipperton, situé entre la Colombie et la Californie, se trouvait sur la route d'un marché juteux et, par voie de conséquence, à risques. La découverte de ce kilo de cocaïne apportait du piment à l'aventure. Il ne devait pas être le seul échoué sur l'île ; entre les résidus de matière plastique qui jonchaient la plage se trouvaient certainement d'anodins emballages, couleur sable mouillé, qui valaient de l'or. Le soir même il se mit à pleuvoir et le vent, rentré assez fort du nord-nord-est, souffla toute la nuit. Le matin, la mer forte levait de très gros rouleaux, nous n'avions encore jamais vu ça en face du camp, un vrai spectacle. Au déjeuner, Janot revint avec deux paquets qu'il avait ramassés sur la plage, empaquetés avec un adhésif estampillé XTRA.

— Je les ai trouvés en face du surf, un peu plus au nord. Ça, c'est de la bonne. Dans les grosses productions hollywoodiennes sur le narcotrafic, c'est en général de l'XTRA, ajouta Janot qui semblait bien connaître le sujet. Entre parenthèses, si vous voulez voir des belles vagues, le surf à la pointe est très impressionnant.

Je pris les deux paquets en me demandant ce que j'allais bien en faire.

Quelques jours plus tard, nous étions au début de janvier 2005, on trouva deux kilos de plus, dans les mêmes conditions, échoués sur le rivage. On me ramenait tout ça avec fierté et discipline, mais me donnait-on vraiment tous les colis trouvés ? Pour éviter tout dérapage au sein d'un groupe isolé sur une île déserte, j'avais pris l'option de la sobriété en n'emportant pas de boissons alcoolisées. Je ne pouvais pas me mettre à tout « fliquer », ce n'est pas dans ma nature, mais je savais que la cocaïne pouvait devenir un très bon substitut, avec les dérapages que cela pouvait entraîner à la fois sur l'île et à l'extérieur. Je pris alors la décision d'en informer le haut-commissaire de la Polynésie française, l'autorité de tutelle. C'est lui qui, après un examen méticuleux de nos objectifs et de notre organisation sur l'île, notamment médicale, nous avait accordé l'autorisation de séjourner sur Clipperton. La réponse me parvint deux jours plus tard et je profitai du dîner pour la transmettre à tous.

— S'il vous plaît, comme je vous l'avais dit, j'ai informé le haut-commissaire de la République à Papeete de la découverte des cinq paquets de poudre et je vous lis la réponse qui m'a été envoyée cet après-midi par son cabinet :

> L'instruction judiciaire a été lancée auprès du parquet de Paris qui est compétent sur l'atoll. Nous attendons les instructions,

sachant que la destruction ne peut être effectuée que par un officier de police judiciaire.

Je me sentais soulagé d'avoir « officialisé » la situation, de ne plus porter seul la responsabilité de cette affaire qui pouvait facilement dégénérer dans l'opinion car nous étions regardés.

Le 10 janvier, vers 11 heures du matin, sans qu'on l'entende arriver, un hélicoptère traversa soudain le camp à basse altitude dans un vacarme auquel nous n'étions plus habitués. Nous sommes sortis en courant de la tente-bureau et nous avons à peine eu le temps de le voir s'éloigner en reprenant de l'altitude. De couleur orange, monté sur flotteurs, il s'agissait de toute évidence d'un hélicoptère civil. Que signifiait ce vol en rase-mottes et d'où pouvait venir l'engin ? Il avait forcément décollé d'un bateau car aucun hélicoptère ne possède l'autonomie suffisante pour effectuer un aller et retour depuis la côte mexicaine, la terre la plus proche, qui est à plus de 1 000 kilomètres. Quel navire pouvait s'adjoindre les services d'un tel appareil dans cette zone : la pêche, la recherche, la surveillance du narcotrafic ou les trafiquants eux-mêmes ? On ne l'a pas revu.

Lors de mon voyage de reconnaissance en mai 2003, des traces de roues sur la piste aérienne en avaient intrigué certains. D'où venaient ces avions, à qui appartenaient-ils ? Deux ans plus tard, l'énigme n'était toujours pas élucidée et la piste portait encore l'empreinte de roues sur une bonne longueur. Quelques jours après, le 19 janvier, on entendit une nouvelle fois un hélicoptère tourner très haut dans le ciel au-dessus du camp, en vol quasi stationnaire. J'ai demandé à Camille, qui parlait espagnol, de le contacter par VHF. Nous n'avions pas les fréquences aviation, mais comme il devait dépendre d'un bateau, il était certainement en veille sur le canal 16, la fréquence de veille internationale. Camille partit au réfectoire en courant et revint tout excité :

– Ils viennent d'un thonier qui se dirige sur Clipperton. Ils m'ont demandé si nous n'échangerions pas des noix de coco fraîches contre un thon, et je leur ai dit d'accord. J'ai bien fait, non ?

– Oui, ça permettra d'avoir quelques informations sur leur programme de pêche.

– Il faut qu'ils retournent sur le bateau et ils seront là dans une demi-heure.

L'hélicoptère atterrit à 200 mètres de nous, sur un emplacement bien choisi où il n'y avait aucun oiseau. En milieu de matinée le camp était presque vide, nous n'étions que cinq, avec les enfants, à assister au spectacle ; tous les autres étaient en plongée ou dispersés en différents points de l'île. Trois hommes marchaient vers nous, soulevant de la poussière à chaque pas. L'ombre de leurs casquettes masquait leurs visages sous le soleil déjà très haut. Il faisait très chaud. L'un portait sur l'épaule un très gros sac en jute qui devait contenir le thon. Quand ils arrivèrent près de nous avec un large sourire, on sentit tout de suite cette chaleur humaine des Mexicains, cette joie de vivre qui les caractérise. Leur existence n'est certainement pas plus facile que la nôtre, mais ils la vivent avec tellement plus de légèreté ! C'est fort agréable. Le thon pesait près de 80 kilos et on l'accrocha par la queue à la poutre de la cuisine pour le dépecer. Avec une agilité surprenante, l'un d'eux découpa ce thon rouge en filets, que l'on dégusta tout de suite en sashimis : une pure merveille. Nous avions du poisson pour plusieurs jours. Éric Ribes, le nouveau cuisinier qui remplaçait Patrick, avait un talent particulier pour parfumer les viandes et les poissons dans des marinades de sa composition, absolument délicieuses. Ce thon frais de Clipperton bien assaisonné, posé en tranches épaisses sur la planche bien chaude et servi cru à cœur, est certainement le meilleur poisson que j'ai mangé ; j'en salive encore en écrivant ces lignes.

Le patron de pêche était resté en notre compagnie pendant que deux autres, grimpés en haut des cocotiers, décrochaient des cocos vertes qui s'écrasaient sur le sol. Après la deuxième bière il se mit à nous parler des salaires mirifiques du pilote d'hélicoptère, du sien, des primes de pêche quand ils revenaient à terre avec les soutes pleines de 960 tonnes de poisson ! J'en profitai pour lui demander s'ils étaient en règle concernant les autorisations.

– *You are the boss ?* me dit-il en rigolant.
– *Yes.*
– Des autorisations, je n'en ai jamais eu besoin.
Et il ajouta :
– De toute façon, les bateaux français ne passent qu'une fois par an.

Je ne m'avançai pas davantage sur ce terrain de la souveraineté, ça aurait pu devenir vite conflictuel et mon espagnol trop limité ne m'aurait pas aidé à nuancer le propos. Par contre je voulais en savoir davantage sur la pêche, comment ils opéraient avec les dauphins emprisonnés dans leurs filets. Car la technique consiste à encercler les thons dans une senne de 2 kilomètres de long qui ratisse la surface jusqu'à une profondeur de 250 mètres. Une extrémité est amarrée à un skiff, petite embarcation informe de 8 mètres dotée de puissants moteurs, qui sert de point fixe pendant que le bateau déploie son filet en encerclant le banc. Quand le piège s'est refermé, on le remonte à bord et le contenu vivant est immédiatement déversé dans les soutes de congélation du navire. Cette technique d'encerclement piège sans discernement tous les poissons de surface, mais aussi des requins, des tortues olivâtres et les dauphins qui meurent étouffés, écrasés par la masse des thons. Pour protéger les dauphins de cette pêche aveugle, des mouvements écologistes ont poussé les industriels de l'agro-alimentaire à s'approvisionner auprès des armements dont les pratiques de pêche sauvegardent les mammifères marins, en créant le label *Dolphin Free,* « Garanti sans dauphin », inscrit sur les conserves de thon. Aujourd'hui ces gros bateaux sont forcés de pratiquer des techniques laissant une échappatoire aux dauphins, ce qui limite les pertes.

– Oui, oui, nous n'attrapons plus de dauphins maintenant, nous dit le patron de pêche d'un air tout à fait satisfait. Nous avons à bord une équipe spécialisée qui saute dans le filet avant qu'on le remonte et qui les fait sortir.

Il était bien difficile d'évaluer l'efficacité de la méthode, mais il apportait au moins la preuve de leurs bonnes intentions.

Dans la lignée de cette labellisation, le Marine Stewardship

Council (MSC), une association créée en 1997 par notre partenaire Unilever et le WWF, a proposé l'élaboration de programmes de gestion durable des pêches. Le label MSC est attribué aux pêcheries qui respectent le renouvellement des ressources marines. La labellisation est un moyen de guider le consommateur vers des produits élaborés avec une éthique environnementale.

L'homme répondait avec franchise à nos questions, et je profitai de sa présence, et surtout de son expérience dans le secteur, pour essayer d'obtenir des informations sur la circulation de la drogue dans les parages. Il se retourna vers le pilote d'hélicoptère et lui dit quelques mots en rafale que je ne compris pas, puis il se tourna vers moi :

– Vous savez, nous pêchons en dehors de la zone de trafic, qui est plus proche de la côte, et nous n'avons aucun contact avec ces gens.

– Mais ils doivent bien venir quelquefois pas très loin d'ici, nous avons trouvé des paquets de cocaïne sur la plage.

Il se mit à rire les yeux au ciel et il ajouta :

– Je me souviens qu'à l'occasion d'un débarquement sur Clipperton, un marin avait trouvé à côté du moteur Caterpillar une valise contenant un million de dollars.

– Un million de dollars !

– Oui, un million de billets verts ! Et quand il est arrivé à bord avec la valise, le capitaine lui a demandé de la ramener où il l'avait trouvée.

Nous n'avons pas compris le message déguisé derrière cette information brute que nous avons eu du mal à croire.

Après quelques tours d'hélicoptère gentiment offerts à l'équipe, ils repartirent sur le bateau qui s'était déjà éloigné de l'île.

Le 18 janvier vers 4 heures du matin, un feu blanc apparut à l'horizon. Il faisait nuit noire et je m'étais levé pour couvrir Ulysse, qui était souvent réveillé prématurément par le froid de fin de nuit : il n'a jamais supporté qu'on le mette dans une gigoteuse, si légère soit-elle. Ce ne pouvait pas être le *Rara Avis*, qui nous avait quittés la veille au soir... À moins d'une avarie ?

Mais pourquoi reviendrait-il à Clipperton ? Il aurait continué sa route… À moins que ce ne soit pour un grave problème de santé : nous étions équipés d'un véritable hôpital. Je me suis recouché.

À l'aube, le bateau était en face du camp, à un mille de la côte, un grand thonier de 70 mètres équipé d'un hélicoptère posé sur le pont. Port d'attache mexicain, ce n'était pas celui qui nous avait rendu visite le 10 janvier. Le temps de prendre le petit déjeuner, cinq autres bateaux identiques l'avaient rejoint, tous sortis de différents points de l'horizon. Ils stationnaient à l'abri de la houle, se laissant dériver sous le vent de l'île. Ces six senneurs identiques, équipés chacun d'un hélicoptère, immatriculés dans des ports mexicains différents, appartenaient de toute évidence au même armement. De temps en temps un hélicoptère décollait – pour aller où ? Était-ce l'annonce d'un coup de vent qui les avait poussés à venir jusqu'ici, se mettre à l'abri sous Clipperton ? Surprenant, car le baromètre indiquait invariablement une pression des plus normales, entre 1011 et 1013 bars. Était-ce pour la célébration d'un jour férié, d'une fête nationale ? Ils ne pêchaient pas à proximité de l'île, leurs filets géants étaient repliés sur la plage arrière. Par contre, de nombreux marins longeaient la pente externe du récif à bord d'embarcations légères d'où ils plongeaient sans cesse pour cueillir des langoustes sous nos yeux. Vers midi, avec l'unité d'un envol d'étourneaux, ils sont repartis au même moment, dans des directions différentes.

Il n'y avait à mes yeux aucun doute sur le fait que ces bateaux pêchaient dans la zone économique exclusive (ZEE) française, qui s'étend sur un rayon de 200 milles au large de l'île, un territoire de la superficie de la France. Ces thoniers ont un coût d'exploitation journalier si élevé qu'on ne peut imaginer qu'ils parcourent 200 milles sans pêcher, au seul motif de venir se mettre à l'abri sous le vent de Clipperton. À moins que l'objectif de la réunion ne fût d'une importance majeure, motif sur lequel le silence fit le consensus.

CHAPITRE 14

Matin sur l'atoll. Maire de Clipperton. Chef d'expédition.

Il n'avait que dix mois, et j'avais le sentiment qu'Ulysse cherchait déjà à m'imiter. Pourtant je faisais attention à ne faire aucun bruit, mais à peine avais-je posé le pied sur le plancher qu'il manifestait dans son lit. Quelle idée de vouloir se lever si tôt quand on est si petit! Si loin dans le passé que ma mémoire me conduise, j'ai le souvenir de m'être toujours réveillé à l'aube. À l'âge de sept ans je me levais le dimanche à 6 h 30 pour aller à la première messe avec ma grand-mère, ce qui me laissait toute la matinée libre. Si Elliot était plus enclin à prendre ma place dans le lit pour prolonger la matinée avec sa maman, Ulysse exprimait tous les matins son désir de prendre le petit déjeuner avec moi très tôt. Nous partions en silence de la cabane du bord de mer, bien avant le lever du soleil. Il sentait encore la nuit et c'était un pur bonheur que de marcher avec lui contre moi, dans ce petit air du matin invariablement doux. Ses soupirs d'émerveillement devant les fous alignés sur le chemin, devant un crabe qui rentrait chez lui ou les frégates dans le ciel qu'il pointait de son doigt boudiné de bébé, me caressaient le cœur. Cette invitation sensible à ressentir le plaisir d'être là était certainement la meilleure façon de commencer la journée. On prenait le temps et je faisais même des détours pour allonger la route jusqu'au bar des Fous, et faire durer ce moment d'intimité avec lui.

On retrouvait toujours les mêmes attablés à la première heure devant un œuf au bacon: Janot, Gérard, Jean-Claude,

Sam... et bien d'autres chercheurs et plongeurs sur le départ. Le rituel d'accueil semblait plaire à Ulysse, qui poussait un grand « Ouais ! » en levant les bras au ciel ; et tout le monde répondait par un grand « Ouais ! » collectif qui le faisait sourire.

Gérard était le premier à s'éclipser, quittant le camp à bicyclette à l'heure où le ciel commence à se teinter des lumières de l'aube. Tous les matins, il partait discrètement avec une certaine jouissance, l'appétit d'un moine qui entre en méditation. Gérard allait nettoyer la côte de tous les objets flottants que la mer avait rejetés. Il s'imposait cette tâche quotidienne pendant une heure trente environ, jusqu'à ce que le soleil commence à cuire. Un sac à la main, il répétait mille fois le même geste, comme un disciple récite ses mantras ; il faisait le vide dans sa tête. La solitude ne lui pesait pas, l'homme l'avait apprivoisée : il avait déjà traversé l'Arctique avec ses chiens, le désert du Sahara, l'Afrique tropicale... Il collectait tous les objets recyclables dans de grands sacs de chantier : 80 % étaient des bouteilles en matière plastique, et le reste un bric-à-brac de tongs, de chaussures flottantes – jamais la paire –, de bidons, de bouées de pêche et de vieux filets. Les grands sacs faisaient chacun 2 mètres cubes et il en remplissait en moyenne un tous les 150 à 200 mètres de plage. À 1 000 kilomètres du continent américain, sans habitants, Clipperton ressemblait à un terrain vague abandonné où la mer vomissait notre irrespect.

Nous avions décidé d'entreprendre ce nettoyage avec l'aide d'Eco Emballage pour animer un programme éducatif sur la pollution des océans et le tri sélectif. C'était un travail immense que Gérard accomplissait ; était-il notre Sisyphe, acharné à cette vaine tâche où la souffrance n'aurait pas de fin ? Ce nettoyage s'inscrivait dans l'inventaire et l'état des lieux sur lesquels nous nous étions engagés. Bien sûr, d'autres déchets allaient anéantir progressivement le résultat de tant d'efforts, mais la valeur de référence « zéro déchet 2005 » nous permettrait de suivre la densité de résidus flottants infestant l'océan. Gérard était de retour vers 9 heures, avec parfois dans sa poche quelques curiosités qui faisaient le bonheur d'Elliot ; hier c'était un dinosaure, aujourd'hui un cheval, un légionnaire jouant de la trompette et un Indien... Ces jouets venaient certainement d'un conteneur éventré perdu en mer.

En rentrant au camp, Gérard croisait sur la route le « petit train » des plongeurs qui se rendaient tous les matins à Port-Jaouen. C'était lui, ce bricoleur génial, qui avait aussi dessiné et construit les deux remorques attelées derrière le quad sur lesquelles tout le monde prenait place. Les horaires de départ variaient avec les heures des marées qui délimitaient le temps des plongées. Janot, qui organisait les sorties en mer, fixait le départ et les retardataires commençaient à l'irriter dès la première minute. Janot, avec son physique de pirate, pouvait s'accorder tous les débordements, mais pour la vie communautaire il avait été éduqué au respect des horaires, du travail et de la hiérarchie. Ce qui l'irritait n'était pas un retard occasionnel, mais la constante négligence de certains qui finissait par peser sur l'ambiance du groupe. Déceler ces tensions, ces dysfonctionnements, et faire en sorte de les enrayer, c'était une partie de mon travail.

Quand tout le monde avait rejoint son lieu d'études, le village était presque vide et j'allais « au bureau ». Aménagé dans une grande tente en toile écrue, j'y passais tous les jours l'essentiel de mon temps. Il était en général 8 heures du matin, 15 heures à Paris. La connexion Internet à haut débit nous mettait en prise directe avec le monde. Elsa, qui au bureau parisien s'occupait de la coordination générale avec les partenaires financiers et les médias, avait sa part de travail, d'autant qu'elle assurait une visioconférence hebdomadaire avec l'école d'Elliot, le tournage et le montage de la minute vidéo et le journal de bord des enfants sur le site Internet de l'expédition.

Elsa, qui m'avait vu passer l'essentiel de la journée devant l'ordinateur, me posait souvent la question : « Qu'est-ce que tu as fait aujourd'hui ? » Que dire ? Une multitude de tâches répétitives à une cadence soutenue : résoudre des questions administratives, valider les feuilles de salaire que m'adressait le comptable, répondre à des demandes en tout genre adressées à Armelle au secrétariat à Paris, écrire des articles, faire la chronique hebdomadaire avec Régis Picart de France Info, passer les commandes de vivres pour les quinze prochains jours, répondre aux demandes spécifiques des scientifiques, accélérer une procédure administrative d'exportation d'échantillons, solliciter pour la énième fois le consul général de France à Mexico, Jean-Marie Martinel, afin qu'il intervienne auprès des autorités mexicaines, s'occuper de la prise en charge par le *Prairial* des sacs de déchets en matière plastique collectés sur la côte, préparer la logistique du retour, trouver un entrepôt à Acapulco, réserver un conteneur pour rapatrier le matériel, animer les visioconférences avec les scolaires et les partenaires, écrire le journal de bord quotidien... Il fallait aussi satisfaire les demandes locales : commander divers matériaux au bateau, répondre au moulin incessant des questions en tout genre, pas forcément difficiles à satisfaire mais qui demandaient toujours un peu d'attention, un peu de temps, parfois un peu plus d'efforts pour dire non. Exiger de tout le monde et répéter sans cesse de faire attention à la consommation d'eau douce, d'éteindre les lumières, de respecter ses tours de vaisselle, de nettoyage, de service à table, de gestion des poubelles, de bien faire le tri sélectif... Tout cela exigeait de s'appliquer un minimum dans la présentation du propos pour être entendu sans jouer les rabat-joie. Gérer une demande de faveur, désamorcer un conflit, remotiver les troupes... L'ensemble ressemblait en bien des points à la gestion d'une petite commune très isolée, si bien que je m'étais autoproclamé maire de Clipperton. Ce bruit avait couru hors des frontières de l'atoll et une demande de célébration de mariage m'avait même été adressée. N'étant investi d'aucun pouvoir par l'État, j'y avais renoncé, ce qui me soulageait.

En plus de tout cela, je m'étais engagé à assurer deux programmes de mesures. Tous les lundis, je changeais les filtres de la girouette à pollen pour Denis-Didier Rousseau, responsable de l'équipe paléo environnements à l'université de Montpellier. L'identification des pollens permet d'étudier les déplacements des masses d'air qui les transportent. Je faisais aussi quelques mesures quotidiennes avec un photomètre que m'avait confié Gérard Brogniez du laboratoire d'optique atmosphérique de l'université de Lille, un appareil qui mesure la teneur de la haute atmosphère en aérosol. C'était ma contribution à la science, avec deux appareils que je connaissais bien pour les avoir déjà utilisés au pôle Nord pendant la mission Banquise.

Elsa, qui connaissait tous les dossiers, n'était pas épargnée et jouait souvent les intermédiaires, ce qui lui valait le surnom, qu'elle détestait, de « patronne ». Elle vivait parfois difficilement cette scission qui se crée avec le groupe quand on est du côté du « pouvoir ». Je lui parlais de l'isolement que j'avais parfois ressenti, même avec d'anciens amis, quand j'avais pris la gestion du bateau *Antarctica*; j'étais passé du confortable statut d'équipier à celui plus exposé de « patron ». J'avais ma part de responsabilité dans cette amorce de rupture que je ressentais, due certainement à des maladresses, à l'inexpérience de la charge qui, par définition, vous rend moins léger. Après des années d'expérience de chef d'expédition, je me suis fait à l'idée de ne pas toujours être aimé pour que les choses avancent. Quand on est porteur des objectifs et de la cohésion d'un groupe, on perd forcément de la disponibilité pour chacun, et le passage de la discussion à la décision ne fait pas toujours l'unanimité.

Mes souvenirs de mauvais chef d'expédition remontent à 1979, dans le Groenland. J'avais réuni les amis de la Course autour du monde avec Éric Tabarly – Olivier Petit, Titouan Lamazou, Jean-François Coste –, et des compagnons de cordée comme les frères Prat, pour faire l'ascension d'une magnifique paroi de 1 200 mètres qui jaillissait de la mer. Le voyage en bateau depuis La Trinité jusqu'à Umanak, sur la côte ouest du Groenland, passait par le cap Farewell, où naissent toutes les dépressions qui se dirigent vers l'Europe, autrement dit une zone agitée. À l'arrivée au pied de cette face nord après vingt-deux jours de mer, la motivation des alpinistes s'était quelque peu émoussée : « Pourquoi choisir une face à l'ombre, pourquoi se lancer dans un tel défi alors que bien d'autres sommets nous entourent ? » Parce que j'avais donné prise à ces doléances molles, nous avions finalement erré sans réel objectif et cette aventure qui nous avait enthousiasmés s'était progressivement « dégonflée » en une promenade sans but.

La responsabilité m'incombait ; j'avais eu la faiblesse d'aligner le programme du groupe sur le maillon faible, au lieu de l'aider à se hisser au niveau des exigences de l'objectif. Des années plus tard, alors que nous étions bloqués par la glace en mer de Ross, j'avais persévéré sur le choix de la longitude de 180 degrés, qui statistiquement devait s'ouvrir en premier, alors qu'une partie de l'équipage insistait pour que nous allions explorer ailleurs, sans avancer d'argument permettant de supposer que ce pourrait être mieux. La persévérance, face à une hostilité grandissante, avait fini par me donner raison ; la glace ne s'était pas ouverte, mais un brise-glace américain, qui suivait comme moi les instructions nautiques, nous avait ouvert la voie à travers une banquise fort compacte en ce début de saison. Un membre de l'équipe était venu me dire : « Ça, c'était une décision de chef. »

Ici, sur Clipperton, même si la douceur du climat atténuait l'aridité et la rudesse des lieux, l'isolement jouait sournoisement sur les caractères dans cette île oubliée du monde. Quelques vers commençaient à gangrener le fruit. Je me rendais compte qu'en fait l'organisation, généreuse et pensée dans les moindres détails, donnait une impression de facilité et masquait tout le travail et les engagements qu'une telle entreprise exige. L'ingratitude et les médisances venaient, comme c'est souvent le cas, de proches collaborateurs qui, parce qu'ils vous ont côtoyé de près, ont le sentiment d'avoir tout compris et qu'à votre place ils auraient fait bien mieux. Rien de dramatique cependant, mais comme les mauvaises nouvelles nourrissent l'insatisfaction et les zones d'ombre de chacun, elles sont redoutablement contagieuses en milieu confiné et il faut se méfier du pouvoir sournois de ceux qui les colportent.

Un soir, je sentis qu'il fallait sans plus attendre reprendre les choses en main. À la fin du dîner, je pris la parole après les classiques trois coups de couteau sur la carafe en verre pour demander le silence :

– Je peux comprendre la lassitude, la fatigue, quelques insatisfactions, j'ai davantage de mal avec certains jugements abrupts qui m'arrivent par ricochet aux oreilles. Je n'ai pas à désigner les colporteurs, ils se reconnaîtront eux-mêmes et ils sont connus de tous. Mon objectif ce soir est de vous expliquer comment j'ai monté cette expédition, les engagements que j'ai pris avec les différents partenaires, quels sont mes objectifs personnels. Et, surtout, je souhaiterais vous faire toucher du doigt le caractère exceptionnel de cette aventure et la chance que nous avons d'être ici.

Applaudissement général. Ça partait bien.

Monter une expédition, c'est deux ans d'un travail acharné de « vendeur de projet », pendant lesquels un enthousiasme inoxydable et une endurance au découragement sont requis. Je détaillai par le menu ce parcours du combattant convaincu, les déceptions et les victoires, la nécessité d'avancer dans le doute et les obligations de résultats auxquelles on s'engage quand on signe le protocole de partenariat. Rien n'est donné, tout est négocié et demandera en retour des articles, des citations, des présences, des conférences.

– Maintenant que tout est en place, mon rôle ici est d'assurer la continuité de la logistique pour les scientifiques qui se succéderont et le bon fonctionnement du camp. Mon plaisir, au-delà d'être ici parmi vous, je le trouve dans ce partage en « temps réel » de la vie de l'expédition et du travail des chercheurs avec une multitude d'élèves et d'enseignants qui nous suivent. La pédagogie est une mise en scène des connaissances, un travail que j'aime et qui me force à apprendre, pour approfondir les sujets. Comme vous l'avez constaté, je reste souvent tard le soir à écrire le journal quotidien pour le site Internet de l'expédition, car c'est un exercice de style qui demande d'aller chercher les informations et de les rendre vivantes. L'inspiration et la fraîcheur d'esprit ne sont pas toujours au rendez-vous, mais je ne peux m'y soustraire.

« Je voudrais aussi que vous sortiez de là convaincus de la chance que nous avons d'être ici, entre parenthèses du monde. Il y a vingt-cinq ans que je fais des expéditions, je sais qu'il y a des moments où l'on compte les jours; mais les jours rares ne reviendront pas. Arrêtez de ferrailler, laissez votre esprit se vider de toute la quincaillerie dont le monde nous encombre et laissez-vous envahir par la puissance et la beauté des lieux, par cette expérience que nous vivons et qui prendra fin bientôt…

« Faites attention de ne pas passer à côté de ce qui se joue en ce moment, car la vie ne rejoue pas tous les ans le même spectacle. »

Le lendemain, une ambiance plus détendue était perceptible dans le camp ; j'ai eu l'impression d'avoir été compris.

CHAPITRE 15

Exploration du « trou sans fond ».
Étude chimique et bactériologique.

Le « trou sans fond » de Clipperton appartient à ces formes géométriques dévoilées par les vues aériennes de certains sites, qui soulèvent des énigmes sur les pratiques et les techniques de construction des civilisations anciennes. Ce rond parfait de 200 mètres de diamètre semble en effet dessiné de la main de l'homme.

Toutes les hypothèses ont été avancées, mais dès qu'on évoque l'origine volcanique de l'île, l'image de la lave incandescente qui a jailli par cette ouverture vient tout de suite à l'esprit. Énigme d'autant plus intrigante que ce trou a été nommé « sans fond ». Serait-il en relation avec les entrailles de la Terre ?

Les missions Bougainville de la Marine nationale, qui ont effectué des séjours de plusieurs mois de 1966 à 1969, ont contribué à la connaissance de l'île, notamment du lagon. Des inventaires sur la faune terrestre et aquatique ont complété les travaux de l'expédition franco-américaine de 1958. Les analyses effectuées sur les eaux si particulières de ce lagon fermé ont fait l'objet de nombreuses publications. Une carte bathymétrique en a été réalisée, un long travail fastidieux au plomb de sonde sur des lignes tracées d'un bord à l'autre de la côte. On y apprend que la fosse orientale, la plus profonde du lagon, fait 47 mètres de profondeur et que le « trou sans fond » est un plancher régulier 34 mètres sous la surface.

En 1976, le commandant Cousteau avait décidé de faire

un film sur Clipperton ; il était fort intrigué par le « trou sans fond », qu'il projetait d'explorer. Il avait invité le Dr Niaussat à se joindre à son équipe pour bénéficier de sa bonne connaissance des lieux. Les images tournées au cours de la plongée sont saisissantes : une couche très cotonneuse de sédiments organiques barre la route vers le fond à 34 mètres, ce qui correspond aux données observées durant les missions Bougainville. Malgré les masques et les combinaisons étanches, les plongeurs avaient été attaqués par une eau qui dégageait une odeur pestilentielle d'œuf pourri. En arrivant à la surface, ils souffraient tous de brûlures cutanées. À cause d'une fuite à son masque, l'un d'eux avait une conjonctivite. Les gourmettes en argent et la peinture des bouteilles d'air comprimé étaient noircies par les sels de soufre. L'hostilité du milieu imposait un repos que les plongeurs avaient mis à profit pour faire des prélèvements de matière organique depuis la surface. Cela consistait à descendre en bout de corde une bouteille ouverte, dont on déclenchait la fermeture en envoyant un messager en plomb qui glissait le long de la corde. La bouteille de prélèvement s'arrêtait régulièrement à 34 mètres, sauf qu'à un moment, sous la percussion du messager, elle avait continué lentement sa descente comme si elle était freinée par la densité de la couche traversée. Puis, soudain libérée, elle s'était mise à sonder jusqu'au bout de la corde de 91 mètres sans avoir atteint le fond. Les plongeurs de l'équipe Cousteau avaient émis l'hypothèse qu'il s'agissait d'un bouchon organique en suspension entre deux couches d'eau et que, en forçant le passage à travers cette matière en décomposition, on déboucherait certainement dans des eaux libres, limpides. Mais les plongées suivantes s'étaient heurtées aux mêmes difficultés de franchissement : impossible de passer. L'équipe avait certainement essayé à maintes reprises de retrouver ce trou avec une corde plus longue pour mieux le localiser, mais le récit ne le dit pas. Le commandant Cousteau était reparti sans avoir résolu l'énigme du « trou sans fond ». Quelque chose le confortait dans son appréciation : sur une carte du service hydrographique de la Marine, oubliée dans un vieux bâtiment des années soixante, il était inscrit à la main à côté du « trou sans fond » : « 94 m. *American data.* » D'autres que son équipe avaient trouvé la faille.

Toutes ces observations sont collectées dans un ouvrage intitulé *Le Lagon et l'Atoll de Clipperton,* du médecin général Niaussat, édité en 1986 par l'Académie des sciences d'outre-mer et l'Institut du Pacifique. C'est un ouvrage très détaillé que j'ai souvent consulté pour la préparation de notre expédition. Depuis les explorations de la Marine nationale et de l'équipe Cousteau, qui dataient de trente ans, personne ne s'était penché à nouveau sur ce mystère.

Avant de partir, j'avais téléphoné au Dr Niaussat. Nous allions sur une île qui, de toute évidence, avait profondément marqué sa vie ; à quatre-vingt-quatre ans, il existait encore des liens intimes entre l'île et l'homme.

– Pour ne rien vous cacher, l'envie de retourner vivre à Clipperton avec ma famille m'a souvent traversé l'esprit, et les circonstances ont fait que ce projet ne s'est jamais réalisé.

Savait-il que je partais avec ma femme Elsa et nos deux garçons ?

– Faites attention à une chose, l'intensité du soleil. Au cours de mon dernier voyage, en 1976, avec Cousteau, j'ai pris sans m'en rendre compte un coup de soleil sur les jambes qui m'a immobilisé pendant deux jours. C'est très sournois car le vent donne une impression permanente de fraîcheur, alors que le rayonnement est intense.

– Monsieur Niaussat, j'ai lu votre rapport avec attention, notamment l'exploration du « trou sans fond ». Nous allons y passer un peu de temps et tenter d'y voir plus clair, et je vous tiendrai au courant.

– Vous savez, cher ami, avant Cousteau nos scaphandriers de la Marine avaient déjà plongé sous la couche organique en suspension. Ils y avaient accédé par une galerie extérieure qui communique avec la fosse orientale. Ils avaient même vu des carangues.

– Mais c'est une information importante que vous me donnez là.

Malgré toute sa courtoisie, je devinais que la conversation ne serait pas longue ; il m'était reconnaissant de l'avoir prévenu de notre départ, mais ces détails ne le concernaient plus. Pour ce médecin de marine rigoureux et forcément pudique, Clipperton rimait toujours avec mission, la passion était son affaire personnelle. Les missions Bougainville, envoyées sur Clipperton de 1966 à 1969 pour mesurer la radioactivité atmosphérique au moment des essais nucléaires aériens du Pacifique, se trouvaient de fait classées « secret Défense ». Le Dr Niaussat avait travaillé en collaboration avec le Muséum national d'histoire naturelle de Paris, où avait été créé le centre d'étude sur les arthropodes irradiés. Il avait d'ailleurs toujours refusé de rencontrer les journalistes. Je sentais que je réveillais des souvenirs qui le touchaient et qu'il m'avait confié une information importante. Pour quelles raisons n'en avait-il pas parlé à Cousteau ? J'étais donc arrivé sur Clipperton avec ce secret, sorte de joker que je sortirais au moment opportun.

Janot écrivait le programme prévisionnel des plongées en fonction des heures des marées : 2 février 2005, « punis à terre », une métaphore qui n'avait échappé à personne, pour signifier qu'il ne serait pas possible de sortir en mer à cause d'une marée trop basse.

Deux plongeurs biologistes, Jean-Marie Bouchard et Lætitia Dugrais, accompagnés du Dr Jean-Éric Blatteau, plongeur démineur et responsable du centre hyperbare de l'hôpital Sainte-Anne, décidèrent de descendre dans le « trou sans fond » du lagon. À leur retour, on pouvait sentir qu'ils venaient de vivre une plongée hors du commun. Lætitia rapporta :

– Les flancs en pente forte sont recouverts d'un épais sédiment très léger. En enfonçant la main jusqu'en haut du bras, j'ai touché du bout des doigts la paroi corallienne dans laquelle sont enchâssés des coquillages de toutes les tailles, très faciles à extraire.

Elle tenait dans sa main une huître de 15 centimètres. Il était évident qu'une vie marine riche et prospère existait quand les passes du lagon étaient ouvertes.

– L'eau est relativement claire jusqu'à 12 mètres, puis on entre dans une couche trouble qui pique la peau, épaisse de

1 mètre environ, puis on arrive sur un tapis de matières en décomposition. J'ai essayé de m'y enfoncer, et un nuage marron de lambeaux organiques s'est levé. Dans la vase jusqu'aux épaules, j'ai commencé à suffoquer, le dégazage était insupportable, du pur hydrogène sulfuré. On est vite remontés.

Manue, qui assurait la sécurité des plongeurs à la surface, était encore toute retournée :

– Je peux vous dire que les bulles qui remontaient dégageaient une puanteur écœurante, et quand les plongeurs sont revenus sur le bateau, tout sentait l'œuf pourri.

Le soir après la douche la peau et les cheveux sentaient encore. Le « trou sans fond » n'avait encore rien dévoilé. Le commandant Cousteau, en 1976, avait rencontré ce bouchon caustique et pestilentiel à 34 mètres. Il semblerait qu'en trente ans il soit remonté de quelques mètres. Nous avions encore quelques jours devant nous pour tenter de percer le mystère.

Une équipe de choc se préparait, bien décidée à en découdre avec cette fosse énigmatique. Quelques précisions pour que vous sachiez à qui vous avez affaire :

– Didier Noirot, une force de la nature, formé aux Glénans avant de partir douze ans avec le commandant Cousteau. Il est considéré aujourd'hui comme un des meilleurs cameramen sous-marins. Il a, entre autres, été chef opérateur pour la BBC dans la série *Blue Planet* et *Robot Shark*, qui témoignent de son talent et de son audace.

– Ian Thomas, son proche collaborateur, est chef plongeur pour la BBC. Sa spécialité est la plongée en recycleur qui, entre autres avantages, ne produit pas de bulles et n'effraie donc pas les poissons.

– Xavier Desmier, photographe sous-marin très expérimenté, a eu la même formation que Didier Noirot : les Glénans et l'équipe Cousteau. Il a fait de nombreuses expéditions, notamment avec moi sur le bateau polaire *Antarctica*. Son dernier reportage sur les orques en mer au large de l'île Crozet, dans l'océan Indien, avait fait la couverture du *National Geographic* l'été précédent.

– Jean-Claude Brive a été parmi les premiers moniteurs de

plongée aux Glénans et il retrouvait ici Didier et Xavier, deux de ses anciens élèves. Puis il a travaillé sur de nombreux chantiers sous-marins, où il a acquis toutes les qualifications. Il était ici notre chef des opérations hyperbares.

Pour leur première plongée dans le lagon, ils voulaient d'abord explorer la fosse orientale. Didier n'avait pas vingt ans quand le commandant Cousteau était venu à Clipperton et je sentais qu'il serait assez fier de résoudre un problème que son maître avait laissé en suspens. Quand je lui fis part de l'information que m'avait révélée Niaussat, il fit mine d'y croire à moitié.

J'appelai une nouvelle fois au téléphone l'ancien médecin général pour recouper ce qu'il m'avait dit avant de partir. Par Internet la communication était bonne.

– Allô, docteur Niaussat ? C'est Jean-Louis Étienne, je vous appelle de Clipperton pour vous donner quelques nouvelles.

– Oui, bonjour, cher confrère. Merci de m'appeler de si loin.

Il est devenu si banal aujourd'hui de se téléphoner du monde entier qu'il ne se rendait pas compte de la prouesse technique qui nous reliait. Après quelques échanges, je lui fis préciser l'information, qui se révélait de la plus grande importance :

– Oui, cher monsieur, une de nos équipes de scaphandriers a bien plongé dans le « trou sans fond » en suivant une galerie qui le met en communication avec la fosse orientale. Ils ont même aperçu des carangues.

Et il ajouta :

– Je vous invite à contacter le Dr Le Chuiton, qui vous donnera davantage de précisions.

Jean-Éric Blatteau, notre médecin de marine, qui est un homme très organisé, avait deux numéros de téléphone de Le Chuiton, l'un en Bretagne et l'autre à Paris, mais jamais personne n'a répondu à nos appels.

Au retour de plongée du quatuor de choc, Didier arborait l'air satisfait du cinéaste qui a fait de belles images.

– Pas mal. C'est très sombre au fond, avec une couche de sédiments qui part en lambeaux quand on y enfonce la main. Assez surprenant, ça devrait faire de belles images.

– Et la galerie vers le « trou sans fond » ?

– Je n'y crois pas beaucoup, tout est tellement enseveli sous ce tapis organique qu'on ne distingue rien, et puis c'est immense. Demain, les gars, on attaque le « trou sans fond ».

La programmation dans le lagon échappait aux contraintes des marées ; il suffisait de réserver le bateau et un pilote. Pour cette plongée, Jean-Claude jouait l'explorateur suivi par Didier, Ian et Xavier pour le filmer. À 18 mètres ils furent arrêtés par la couche « acide » et le bouchon de matière que la première équipe avait rencontrés à 13 mètres. Jean-Claude suivit le fond, accompagné de la caméra et des projecteurs, et commença à pénétrer dans ce tapis organique. Didier était stupéfait, des images hallucinantes, très science-fiction, comme si l'homme évoluait dans la « soupe prébiotique », cette matière à partir de laquelle la vie serait apparue sur la Terre. Didier fit signe à l'« acteur » de plonger dans la couche en décomposition et Jean-Claude s'exécuta. Enfoncé jusqu'à la taille, il gesticulait pour s'extraire de cette boue organique. Didier lui demanda d'essayer ailleurs, l'idée étant de trouver un passage vers l'étage au-dessous. Prenant un peu d'altitude, il remit ça vigoureusement et fut à nouveau stoppé net à la même profondeur. Jean-Claude eu du mal à refaire surface et, quand il sortit, il fit un signe de la main que Didier eut de la peine à distinguer dans cette suspension organique diffractant la lumière. En bons professionnels, ils comprirent vite que quelque chose n'allait pas et qu'il fallait remonter. Accroché au bateau, la tête hors de l'eau, Jean-Claude gardait les paupières fermées, souffrant de brûlure aux yeux.

– J'ai senti une petite fuite sur la joue et l'eau qui rentrait lentement dans le masque, et quand le liquide a touché les yeux, la brûlure a été immédiate. C'est surtout l'œil gauche qui a trinqué.

Jean-Claude avait une conjonctivite, une inflammation de la cornée qui donne cette impression désagréable et douloureuse d'avoir du sable dans les yeux : pansement occlusif sur l'œil gauche, collyre, lunettes de soleil et surtout repos pendant deux jours. La cornée se régénère en quarante-huit heures.

Rien n'avait réellement avancé, à part la certitude grandissante que le « trou sans fond » confirmait sa dangerosité à chaque plongée. Tracé au compas, il faisait 200 mètres de diamètre, soit une surface de 3 hectares, et dans cette eau opaque et toxique on ne pouvait envisager de rechercher un accès à une zone plus profonde en sillonnant le fond à vue. Il faudrait vraiment un grand coup de chance pour le trouver.

Après ces premières tentatives en plongée jugées trop risquées, les marins sortirent leurs outils de travail depuis la surface : échosondeur et plomb de sonde. L'échosondeur fixé sous le bateau donnait des résultats assez décevants, difficilement interprétables, à cause des couches d'eau de densités et de températures différentes, et du fond très mou, qui renvoyaient plusieurs échos. Il fallait revenir à la bonne vieille méthode, au plomb de sonde accroché à 100 mètres de corde et multiplier les levés pour connaître la topographie du fond. C'était aussi la seule façon de trouver l'accès vers l'abîme.

Résultats d'une journée de travail méthodique :

> Le « trou sans fond » est un cône de pente assez verticale qui arrive par étages sur un fond plat entre 32 et 34 mètres. Les levés du fond effectués avec un poids de 7 kilogrammes ont donné la même chose, avec grossièrement un mètre de plus, ce qui signifie que la sonde s'enfonce dans un mètre de vase. Pas de localisation de cette énigmatique ouverture profonde. Il n'est pas impossible que l'entrée se soit effondrée.

Mais le « trou sans fond » ne pouvait se résumer à une curiosité cinématographique ou morphologique de l'édifice insulaire. Il était le siège d'une activité biochimique et bactériologique unique et intense, intéressant au plus au point nos scientifiques. En attendant leur tour, les chercheurs fourbissaient leurs instruments pour prendre les choses en main.

Ils étaient trois dans une première équipe. Alain Couté, professeur au Muséum, spécialiste des micro-algues et homme d'une grande culture naturaliste ; plongeur très expérimenté, il avait créé à l'université de Paris la formation des plongeurs biologistes ; c'est aussi un chercheur de terrain très expérimenté. Son compère Loïc Charpy, biogéochimiste, directeur de recherches à l'IRD, spécialiste des cyanobactéries, est lui aussi un baroudeur de la science ; il était accompagné de Martine Rodier, chimiste à l'IRD, pour l'analyse des sels nutritifs et des matières organiques dissoutes. Une sonde électronique, immergée progressivement à la main depuis le canot, mesurait instantanément la température, la salinité et le pH (indice d'acidité ou d'alcalinité) des différentes couches d'eau traversées. En parallèle, une bouteille de prélèvements fermée à la demande depuis la surface permettait de ramener au laboratoire des échantillons de ces différentes strates d'eau pour les analyser.

> Résultats :
> — Jusqu'à 14 mètres l'eau est légèrement saumâtre, 5,5 grammes de sel par litre, un pH proche de 9, c'est-à-dire alcalin.
> — Puis se trouve une fine couche de dépôts en décomposition qui marque la frontière avec les eaux sous-jacentes.
> — Jusqu'au fond une couche d'eau salée à 35 g/l, proche de la salinité de l'eau de mer. Les prélèvements montrent que cette eau est sans oxygène, saturée en hydrogène sulfuré (odeur nauséabonde de l'œuf pourri), un pH à 6,5, c'est-à-dire proche de la neutralité.
> Constat : ce n'est donc pas l'acidité de l'eau qui brûle la peau ou les yeux des plongeurs, mais les sels de sulfure.

La deuxième équipe était un binôme de bactériologistes, Philippe Lebaron, professeur de microbiologie à l'université Paris-VI, assisté par Hila Elifantz, chercheuse dans une université américaine. Hila et Philippe allaient régulièrement sur le lagon faire leurs prélèvements, qu'ils ramenaient au laboratoire. Après les observations directes au microscope et les mises en culture avec les moyens dont ils disposaient sur l'île, ils avaient constaté une faune bactériologique très variée et d'une exceptionnelle densité. Souvent, le soir, Philippe ou Alain nous invitaient au laboratoire pour nous faire partager leurs découvertes sous le microscope : on ne pouvait imaginer la variété des formes, la diversité des espèces et l'activité incessante de ces vies que la nature produit à notre insu. Philippe Lebaron était fasciné par ce lagon, qu'il qualifiait d'écosystème unique au monde. Il m'a écrit des États-Unis après les premières analyses poussées faites sur les échantillons congelés qu'il avait ramenés de Clipperton :

> Les séquences montrent une importante diversité bactérienne extrêmement originale. La plupart, sinon l'essentiel des bactéries, correspondent à de nouvelles espèces, à de nouveaux genres et même de nouveaux phylums bactériens. Cela signifie que les bactéries présentes à Clipperton sont pour la plupart totalement inconnues à ce jour et elles représentent des groupes bactériens dont le métabolisme n'a encore jamais été étudié. La caractérisation de ces bactéries serait très utile pour améliorer notre compréhension des processus d'évolution depuis l'apparition de la vie sur la Terre, lorsque l'atmosphère primitive était très proche des conditions anoxiques trouvées dans les eaux profondes du lagon de Clipperton.
> Quant aux bactéries qui se développent à la surface de l'eau, elles sont pour la plupart très pigmentées et elles possèdent des propriétés de résistance aux UV que nous allons étudier dans les mois qui viennent. On s'intéresse par exemple à la façon dont elles réparent les dommages induits à l'ADN par les UV car ces mécanismes pourraient être exploités pour la protection de la peau contre les lésions dues à ces rayons. Affaire à suivre : cette diversité exceptionnelle mérite d'être encore explorée !

Toutes ces découvertes et ces perspectives m'allaient droit au cœur ; elles me confirmaient la nécessité de continuer ces aventures scientifiques. Il y a dans l'infiniment petit et dans tous les domaines de la science de quoi explorer, découvrir et créer pour des générations.

En débarquant sur Clipperton, en décembre 2004, nous avions du temps devant nous, des équipes compétentes et le matériel pour effectuer une bonne investigation géomorphologique et chimique du « trou sans fond ». C'est chose faite.

CHAPITRE 16

Réchauffement climatique.
Effet de serre. Solutions énergétiques.

Avis à la population : ce soir pique-nique sur la plage.

La pêche à la langouste de la nuit dernière avait été bonne et Pascal Salun, notre nouveau cuisinier, proposait de la faire sur le grill. Le bois échoué sur la côte ne manquait pas pour préparer un bon lit de braise. Fidèle à son goût pour la comédie, Pascal nous accueillit déguisé en pirate. Il était amusant d'ailleurs de voir que tout le monde s'était changé pour l'occasion. Le coucher du soleil qui plonge dans la mer, la douceur de l'alizé qui caresse la peau, les chatouillis du sable fin sur la plante des pieds nus, les langoustes grillées à la sauce au gingembre... ce plateau d'Éden nous était généreusement offert par la nature. Tout était déjà là à notre arrivée sur l'île, il suffisait de mettre en place la soirée.

Nous n'étions pas partis bien loin, mais se retrouver autour d'un feu au bord de la mer avait bousculé la routine. Le lendemain, chacun se sentait neuf, comme au retour des vacances. L'expédition s'étirait dans le temps et il fallait couper les pattes aux habitudes pour redynamiser l'équipe. Même la magie des plus beaux décors finit par s'étioler, absorbée par l'ordinaire des jours. Je devais en être conscient et penser plus souvent à provoquer l'inattendu. Ça concernait surtout les membres permanents de l'expédition et les équipes de tournage qui passent une grande partie de leur vie à sillonner la planète. Tout de suite après la sortie de son film *Massaï, les guerriers de la pluie*, Pascal Plisson nous avait rejoints début janvier sans vraiment faire de pause, en compagnie de Simon Vattel, son assistant. Luc Marescot, réalisateur de nombreux documentaires pour la télévision, était arrivé fin janvier en provenance de la Géorgie du Sud après une courte escale à Paris. Quant à Jean-Baptiste Benoît, l'ingénieur du son, il était avec nous depuis la fin novembre et son contrat s'arrêtait à la fin mars. La majorité des chercheurs étaient relayés à chaque rotation du bateau, qui venait en moyenne tous les douze jours, et leur emploi du temps ne laissait pas de place à l'ennui.

Thierry Corrège et John Butscher arrivaient de Nouméa, où ils travaillent pour l'Institut de recherche pour le développement, un organisme de recherche français qui a pour mission de développer des projets scientifiques centrés sur les relations entre l'homme et son environnement dans la zone intertropicale. Timothé Ourbak, de Paris, les avait rejoints pour leur donner un coup de main. Leur spécialité est la paléocéanologie, c'est-à-dire l'étude des variations de l'état de l'océan dans le passé – son niveau, sa température et sa salinité.

Ici, à Clipperton, c'est à partir de carottes taillées dans l'édifice corallien qu'on peut connaître le passé océanique de l'île. Le corail est un organisme vivant qui produit en permanence du carbonate de calcium (aragonite), sorte de craie blanche granuleuse qui s'amoncelle en grosses concrétions plus ou moins arrondies, communément appelées « patates de corail ». Thierry et John recherchaient ces grosses patates sous-marines pour faire leurs prélèvements avec l'assistance du solide Dr Blatteau. À en juger par les images de Didier Noirot, l'épreuve est assez physique, il fallait bien être trois pour maîtriser le carottier. La plus longue carotte qu'ils ont extraite en plusieurs morceaux faisait 5,6 mètres de longueur. Comme le taux de croissance du corail est de 1 à 1,5 centimètre par an, cette carotte représentait environ quatre cents années de production de récif calcaire. La délicatesse avec laquelle John et Thierry allongeaient leurs échantillons dans de longs casiers en bois en disait beaucoup sur la fragilité et surtout la préciosité de ces spécimens uniques. Jamais de tels prélèvements n'avaient pu être faits à Clipperton. Ces carottes seront analysées au centre IRD de

Bondy, en région parisienne, et nous donneront la température de l'océan à la date de formation avec une précision d'un demi-degré. On connaîtra ainsi les variations de la température de l'océan pendant environ quatre cents ans. La périodicité du phénomène *El Niño,* qui entraîne un réchauffement des eaux du Pacifique est pouvant avoir comme conséquence la mort du corail, est inscrite dans cette carotte.

Certes, le corail est un bon matériau d'étude du climat à l'échelle du millénaire, mais, plus généralement, la trace des climats anciens se retrouve dans les empilements de matières qui se sont faits lentement durant des milliers d'années, comme la glace et les sédiments du fond des océans. Tous ces empilements de matières anciennes contiennent la mémoire des conditions environnementales dans lesquelles ils se sont formés.

Certains chercheurs travaillent à partir des sédiments marins que l'on prélève par carottage à bord de navires océanographiques, d'autres travaillent à partir de carottes taillées dans les glaces de l'Antarctique ou du Groenland qui se sont accumulées durant des centaines de milliers d'années. Cette glace, qui se forme par le tassement progressif de la neige, a emprisonné l'air contenu dans les couches de neige poudreuse successives. L'air s'est concentré dans des bulles microscopiques dont l'analyse nous donne la composition de l'atmosphère le jour de la précipitation neigeuse. Une carotte réalisée en plein cœur de l'Antarctique, sur le site de Vostok, a révélé quatre cent mille années de mémoire du climat et de la composition de l'atmosphère. Ces analyses ont contribué de façon spectaculaire au débat de société concernant le réchauffement climatique actuel, en révélant la corrélation entre gaz à effet de serre (gaz carbonique et méthane) et climat. On n'a pas trouvé trace dans le passé d'une concentration aussi forte de gaz à effet de serre dans l'atmosphère. De plus, cette concentration s'est accélérée avec le développement de l'ère industrielle, ce qui signe, si on en doutait encore, que le réchauffement climatique est bien lié aux activités humaines de ces deux derniers siècles. En mai 2004, un record a été établi au dôme Concordia, une station franco-italienne dans l'Antarctique, où les chercheurs du programme EPICA ont extrait une carotte de 3 201 mètres. Cette archive glaciaire révélera des informations sur le passé et le fonctionnement de la machine climatique de ces sept cent quarante mille dernières années.

Vous pouvez vous-même faire de la paléoclimatologie à l'échelle du siècle en observant les anneaux de croissance, les cernes, sur la section d'un tronc. L'arbre produit un cerne par an, et l'épaisseur des cernes de bois formés chaque année varie en fonction de l'environnement et, en grande partie, du climat. Il existe des cernes caractéristiques qui aident à se repérer. Par exemple, le cerne de l'année 1976, qui fut très sèche en été, est relativement étroit ; pareillement pour l'hiver 1956, qui fut très rude et le printemps tardif. La dendrochronologie, autrement dit l'étude des cernes, se fait sur les arbres vivants par carottage du tronc. Elle peut aussi se faire sur des arbres fossilisés, sur des bois pétrifiés, que l'on datera au carbone 14, pour connaître avec précision, année après année, les variations du climat sur une courte période.

Toutes ces données sur les climats anciens permettent de mettre en évidence la périodicité naturelle des changements climatiques. Car la Terre a sa vie propre, faite de l'alternance de périodes glaciaires et interglaciaires tous les vingt mille, quarante mille et cent mille ans, avec une certaine précision. Elles sont dues essentiellement aux variations cycliques de l'inclinaison de l'axe de la Terre et de sa distance par rapport au Soleil. Ce calcul est relativement maîtrisé jusqu'à l'avènement de l'ère industrielle. Ensuite, le calcul des prévisions se complique car il faut intégrer les transformations rapides et conséquentes des activités humaines : production de gaz à effet de serre, déforestation, changement de la nature des sols, disparition des espèces vivantes... Comment mesurer leur impact et l'intégrer au calcul ? Des chercheurs de tous horizons – physiciens, mathématiciens, chimistes, informaticiens, géologues... – mettent en commun leurs compétences pour comprendre et modéliser les mécanismes qui régissent le climat de la Terre. Le problème est extrêmement complexe et, si les modèles climatiques ne donnent pas les mêmes résultats, les chercheurs sont unanimes pour dire que nous sommes engagés dans une période de réchauffement climatique.

Nous savons tous aujourd'hui que l'acteur principal de ce réchauffement est le renforcement de l'effet de serre par le gaz carbonique produit par la combustion des énergies fossiles – charbon, pétrole et gaz naturel dans une moindre mesure – et la déforestation.

Mais qu'est-ce que ce phénomène ?

Vous connaissez la serre du jardinier, une maison transparente qui laisse passer le soleil et qui piège sa chaleur à l'intérieur. L'atmosphère qui enveloppe la Terre agit pareillement, en emmagasinant la chaleur du Soleil. Sans l'effet de serre, il ferait moins 18 degrés Celsius sur la Terre et la vie n'aurait jamais existé. Grâce à ce phénomène, la température moyenne est de plus 15 degrés.

Un autre acteur de l'effet de serre à intégrer est la vapeur d'eau ; les nuits avec un ciel clair sont plus froides car la chaleur de la Terre n'est pas arrêtée par une barrière nuageuse et se disperse dans la haute atmosphère.

Alors pourquoi l'effet de serre, qui est un mécanisme naturel indispensable à la vie, est-il accusé d'être à l'origine du réchauffement climatique ? Ce qui est en cause, c'est un renforcement de l'effet de serre par un excès de gaz carbonique, qui agit comme un « double vitrage ».

Les sceptiques argumentent que l'histoire du climat de la Terre révèle une alternance de périodes plus froides et d'autres plus chaudes, ce qui laisserait penser que le réchauffement que nous connaissons actuellement serait tout à fait naturel et que les activités humaines seraient sans conséquences, ou si peu, ce qui est bien sûr totalement faux. Il n'y a plus aucun doute aujourd'hui, et toutes les analyses concordent pour affirmer que l'accélération du réchauffement climatique actuel a commencé au début de l'ère industrielle avec une consommation croissante des énergies fossiles et l'expansion conjointe de l'agriculture au détriment des forêts.

Pourquoi parle-t-on d'énergies fossiles ? Parce que le charbon, le pétrole et le gaz proviennent de la décomposition lente, durant des millions d'années, de végétaux et de matières organiques engloutis dans le sol. Ils représentent des centaines de millions d'années de photosynthèse, qui est la production par la plante de glucose, indispensable à sa croissance, à partir du gaz carbonique de l'air qu'elle absorbe sous l'action de la lumière. Des quantités pharaoniques de gaz carbonique ont été ainsi fixées pendant des millions d'années par les luxuriantes forêts de fougères géantes et les marécages du carbonifère. Elles ont constitué des tourbes et des vases organiques qui se sont transformées en charbon, pétrole et gaz naturel. On comprend facilement que la libération, en trois siècles d'intense activité humaine, des gigatonnes de carbone accumulées pendant des centaines de millions d'années finit par saturer l'atmosphère.

Quand on regarde le ciel, cette ouverture béante sur le cosmos, on pourrait s'imaginer que l'espace sidéral infini dans lequel la Terre évolue soit en mesure d'absorber tous nos rejets aériens. C'est oublier l'existence de cette « vitre atmosphérique » qui nous protège du froid glacial cosmique. Sa transparence est trompeuse car l'espace aérien qui entoure notre planète est très fin, comparable, toutes proportions gardées, à une membrane de cellophane tendue autour d'une citrouille. Et cette membrane piège tous les gaz et les particules que nous rejetons dans l'atmosphère.

À côté du gaz carbonique, qui est l'acteur principal, on trouve des gaz industriels, notamment ceux de l'industrie du froid, et surtout du méthane, dont l'augmentation dans l'atmosphère est liée à l'évolution de la population mondiale. Le méthane est vingt fois plus actif sur l'effet de serre que le gaz carbonique. Si un tiers du méthane atmosphérique est produit de façon naturelle par la fermentation des zones humides (étangs, estuaires, marécages), la majeure partie provient des activités humaines : la riziculture (21 %), la fermentation gastro-intestinale des animaux et des hommes (16 %), la production pétrolière (15 %), les décharges publiques (8 %) et la combustion de la biomasse (8 %).

La température moyenne à la surface de la planète a augmenté d'environ 0,6 degré Celsius au cours du siècle dernier et elle pourrait s'accroître de 2 à 6 degrés au cours de ce siècle. Ces prévisions sont reconnues comme recueillant le « consensus scientifique » du Groupe d'experts intergouvernemental sur l'évolution du climat (GIEC). Cet organisme a été créé en 1988 à la demande du G7, le groupe des sept pays les plus riches, par l'Organisation météorologique mondiale et le Programme des Nations unies pour l'environnement. Ce n'est pas un centre de recherche, mais un organisme où l'on expertise et synthétise les travaux des chercheurs menés dans les laboratoires du monde entier. Son rôle est d'« évaluer l'information scientifique, technique et socio-économique pertinente pour comprendre le risque du changement climatique d'origine humaine ». La centaine de scientifiques, un par pays, qui constitue ce groupe publie périodiquement des « rapports d'évaluation », comprenant des « résumés pour décideurs » qui sont portés à la connaissance des instances internationales et des gouvernements, ce qui a conduit à l'élaboration du protocole de Kyoto.

Le processus du réchauffement climatique est enclenché et le « nettoyage atmosphérique » du trop-plein de gaz carbonique actuel, pour faire régresser l'effet de serre, va prendre un demi-siècle. La production annuelle de carbone dans l'atmosphère est évaluée à 6 milliards de tonnes (6 gigatonnes), ce qui fait en moyenne un peu plus de 1 tonne par habitant et par an. Les océans et la biosphère terrestre en absorbent la moitié, mais 3 milliards de tonnes s'accumulent tous les ans dans la couche d'air qui enveloppe la Terre. La teneur actuelle est la plus élevée depuis vingt-cinq millions d'années et elle continuera à augmenter au cours du siècle si nous ne changeons rien à la consommation des énergies fossiles et à la déforestation qui prive l'atmosphère d'importants puits de carbone.

Les pays industrialisés, qui auront consommé la majeure partie des énergies fossiles et contribué massivement au dérèglement du climat, et ce pour leur propre développement, doivent impérativement freiner leur égoïsme. C'est l'objectif du protocole de Kyoto, engageant les pays signataires à réduire leurs émissions de gaz à effet de serre de 5,5 % par rapport au niveau atteint en 1990, durant la période 2008-2012. Pour entrer en vigueur, cet accord international devait réunir la signature de cinquante-cinq pays représentant au moins 55 % des rejets de gaz carbonique. Ce quota a été atteint grâce à la signature de la Russie en septembre 2004. Les États-Unis, qui représentent à eux seuls 35 % des émissions de gaz carbonique, refusent toujours de signer ce protocole [1].

En toile de fond de cet accident climatique anthropique se profile un autre événement planétaire, qui porte en lui la solution au mal que nous combattons : la fin programmée des réserves d'énergie fossile. Sachant qu'elles fournissent actuellement 90 % de la consommation mondiale, la gouvernance planétaire est aujourd'hui confrontée à un double défi : environnemental et énergétique.

La solution environnementale immédiate passe par un meilleur usage des énergies fossiles et le développement à l'échelle industrielle des sources de production des énergies renouvelables (solaire, éolien, biomasse, géothermie), afin d'en réduire considérablement les coûts et les rendre vite accessibles pour les besoins domestiques d'une large partie de l'humanité. Mais ces énergies renouvelables ne pourront pas couvrir la demande croissante des besoins de l'industrie et des transports. Le défi énergétique est de mettre en place en un demi-siècle les circuits de production, de distribution et d'exploitation des deux principaux vecteurs d'énergie du futur : l'électricité et l'hydrogène. Produire de l'électricité et de l'hydrogène pour les besoins planétaires va demander en amont une énorme quantité d'énergie. Quelle source pourra remplacer le rayonnement solaire de millions d'années accumulé dans les énergies fossiles – charbon, pétrole et gaz naturel ? La réponse

---

1. Si le gouvernement des États-Unis répugne à signer le protocole de Kyoto, il prépare cependant la nation au *peak oil*, qui marquera le déclin des réserves de pétrole. Soucieux de répondre aux exigences énergétiques croissantes des citoyens américains, le gouvernement et les industriels US investissent massivement dans les énergies du futur.

logique est de recréer le Soleil sur Terre. C'est le projet mondial ITER sur la fusion contrôlée des noyaux légers qui va être développé à Cadarache. Ces réacteurs pourraient dans moins d'un siècle apporter à l'humanité une source d'énergie illimitée avec un impact maîtrisable sur l'environnement. Ce serait alors la fin de la fission nucléaire des noyaux lourds d'uranium, objet de tant de débats et de craintes justifiées, qui paraît bien incontournable dans ces décennies de transition à venir.

Il faut aller vite pour les générations futures, il faut aller très vite pour les trois milliards de nécessiteux qui les premiers n'auront bientôt plus accès au pétrole, devenu trop cher. Les pays pauvres vont devoir abandonner d'un coup le pétrole, leur moyen de survie, dont ils maîtrisent la technologie et l'approvisionnement, même au plus profond de la brousse, pour une technologie sophistiquée, totalement inconnue et incompréhensible pour tous ces bricoleurs de génie qui font aujourd'hui tourner la moitié du monde.

La croissance démographique, les besoins dans les domaines de la santé, de la technologie, des transports, de la consommation et du confort condamnent l'homme à vivre dans un monde où les solutions feront de plus en plus appel à son intelligence et à son civisme. Toute révolution technologique, toute réglementation à l'échelle mondiale seraient illusoires sans un changement de comportement individuel. Chacun de nous peut sans plus attendre peser sur le cours des choses : déplacez-vous à pied, à bicyclette, en bus, en train, le moins possible en avion. N'ayez pas la faiblesse de croire que votre voiture est un objet de valorisation immédiate, choisissez plutôt un véhicule qui consomme peu. Baissez le chauffage avant d'ouvrir la fenêtre. Ne comptez pas sur les autres pour commencer à agir. Nous avons tous un contrat personnel avec l'avenir de l'humanité, il s'agit de l'honorer.

Je marchais sur la plage, la tête lourde de ces préoccupations planétaires et de la décourageante inertie à leur égard. Comme tous les soirs à la même heure, j'emmenai Ulysse pour un rituel va-et-vient au bord de la mer. Le rythme du chuintement de l'eau sur le sable finissait toujours par l'endormir, mais ce soir-là il n'arrivait pas à trouver le sommeil, tournicotant dans le berceau de mes bras, comme s'il épongeait ma colère intérieure. Nous avons marché plus longtemps, jusqu'au franchissement de la lumière, cet instant magique où le passage du soleil sous l'horizon assombrit le ciel, suffisamment pour distinguer l'éclat des premières étoiles. Les sternes fuligineuses parties en mer pour la journée revenaient par centaine du large en direction de l'île Egg, à l'intérieur du lagon. Dans cette impalpable harmonie d'un monde à l'état originel, Ulysse finit par s'endormir.

CHAPITRE 17

Instituteur du bout du monde.
Visioconférences. Peintre naturaliste.

Les enfants n'ont pas de projets pour s'occuper l'esprit ou apaiser leurs inquiétudes, leur demande est immédiate, sans rendez-vous. Elliot vivait dehors toute la journée et il y avait toujours quelqu'un au camp pour répondre à ses attentes. De toute évidence, il ne s'ennuyait jamais. Entre les leçons de choses de Laurent, qui se faisaient en direct sur les prélèvements que les biologistes ramenaient des plongées, l'atelier de Gérard, où il pouvait bricoler avec les matériaux qu'il ramassait sur la plage, sa vie avec les crabes, les petits tours avec Sam sur le réservoir du quad pour emmener les plongeurs… il ne manquait pas d'activités. À trois ans et quelques mois, ce petit homme avait développé une autonomie surprenante à partir de la confiance que nous lui accordions. Il suffisait d'être attentif à ce qu'il n'aille pas seul au bord de la mer et qu'il boive régulièrement avant qu'il ne le demande : la soif est déjà un signe de déshydratation.

Notre inquiétude de parents était surtout motivée par l'absence d'enfants de son âge pendant quatre mois. Afin de pallier ce manque, Elsa avait mis à profit l'accès Internet à haut débit pour organiser des visioconférences avec les élèves de la classe maternelle qu'il avait fréquentée durant le premier trimestre 2004. Tous les mardis matin à 8 heures, 15 heures en France, la magie des ondes, des satellites et de l'informatique opérait conjointement pendant une demi-heure pour que les visages des enfants apparaissent à l'écran. Seul devant tous, Elliot paraissait souvent intimidé par ces rencontres virtuelles, et s'il faisait mine parfois de ne pas s'y intéresser, il en parlait régulièrement comme d'un événement attendu. Elsa, qui depuis le début de l'expédition écrivait toutes les semaines le journal de bord des enfants, avait fort à faire pour donner des nouvelles de tout le monde : le crabe Basile, la frégate Agathe, la tortue Joufflue... Ces personnages, à travers le récit de leur vie sur l'île, enseignaient à Elliot comment s'organisait la cohabitation des espèces sur cet atoll minuscule. De vraies leçons de choses, qu'Elsa faisait toujours valider par les scientifiques pour que l'histoire soit véridique.

Pendant la visioconférence, la découverte en direct sur l'écran du camp, des cabanes, de l'océan, des crabes, des fous, de la croissance du petit fou masqué apprivoisé... – tout ce qui faisait la vie d'Elliot sur Clipperton – provoquait des « Oh ! » d'émerveillement des enfants de l'école maternelle, emmitouflés dans leurs vêtements chauds : l'hiver 2005 était particulièrement froid.

Les moyens de transmission dont nous disposions permettaient d'élaborer des projets pédagogiques d'une grande pertinence. Le partage en « temps réel » d'une aventure scientifique est une passerelle très attractive entre les sciences, la technologie et l'éducation. J'avais débuté en partenariat avec l'Éducation nationale en 1991, à l'occasion d'une navigation en Terre de Feu, dans la Géorgie du Sud et dans la péninsule Antarctique. Alain Élie et Jean Cassanet, chargés du développement des programmes sur Internet dans les établissements scolaires, m'avaient donné rendez-vous rue de Grenelle, dans les locaux du ministère. Le voyage que je leur avais présenté était certes très séduisant pour traiter des sciences de la vie et de la Terre, mais, sur le plan des compétences en matière d'éducation, je n'avais pour moi qu'une sincère tentation pédagogique. Ils m'avaient cependant prêté une oreille attentive et je les en remercie. Leur confiance m'avait conforté dans cette voie de la transmission des connaissances, un travail passionnant que j'avais développé au cours des aventures suivantes. En 1993, depuis le volcan Erebus, dans l'Antarctique, nous avions pu envoyer des textes, des graphiques et des photos à cinquante-deux établissements pilotes spécialement équipés pour recevoir Internet. Le bateau *Antarctica* était aussi équipé d'un banc de montage et de moyens techniques pour envoyer des vidéos compressées par satellite ; la diffusion très saccadée de ces images dans *Thalassa* témoignait de la distance et de notre isolement. Puis il y avait eu l'hivernage au Spitzberg du bateau *Antarctica* en 1995-1996, la mission Banquise à bord du *Polar Observer* en 2002, et l'expédition Clipperton, pour laquelle la société EADS Astrium avait mis à notre disposition le meilleur de la technologie, un accès Internet haut débit par satellite.

Tous les soirs, sous la tente faisant office de bureau, je passais du temps à écrire le journal quotidien que je mettais directement en ligne avec des photos illustrant le sujet. Ce feuillet imprimé circulait le matin au réfectoire dans un classeur de chemises transparentes, et il était lu par tous, si bien qu'en fin de journée la question revenait invariablement :

– Alors de quoi vas-tu parler ce soir ? Tu connais le sujet ?

Et je répondais invariablement :

– Non, je ne sais pas encore.

L'inspiration ou l'actualité ne me servaient pas tous les soirs un sujet « tout cuit ». Alors j'en profitais pour donner quelques nouvelles marquantes :

Mercredi 23 février 2005

– Le cocotier est le seul arbre de l'île. Au cours de son inventaire botanique, Alain Couté, professeur au Muséum, a dénombré 581 cocotiers adultes vivants et 3 083 juvéniles dont les chances de développement dépendent de l'appétit des crabes qui mangent les jeunes pouces, des oiseaux qui couvrent les feuilles de fientes jusqu'à arrêter la photosynthèse, des cyclones qui font passer l'eau de mer sur le platier et qui les arrachent.

– Le Dr Jean-Éric Blatteau a fait le tour de l'île avec un compteur Geiger et n'a trouvé aucune trace de radioactivité.

– Le « trou sans fond » a été traversé une nouvelle fois

en plongée dans plusieurs directions par Jean-Claude Brive et le Dr Jean-Éric Blatteau. Ils n'ont trouvé qu'un fond plat à 34 mètres de profondeur, recouvert d'une épaisse couche de sédiments en décomposition dans laquelle il est facile d'enfoncer le bras. Sur les flancs verticaux où la matière en décomposition ne s'accumule pas, des empilements d'huîtres signent l'importante activité biologique du lagon quand les passes étaient ouvertes.

– Depuis quand sont-elles fermées ? Le seul témoignage que nous ayons de l'ouverture des passes est le rapport de Belcher, hydrographe de la Marine britannique, qui a dessiné la carte de Clipperton depuis son bateau qui en a fait le tour le 8 mai 1839. Il mentionne : « L'anneau comprend deux ouvertures qui font communiquer le lagon avec la mer ; l'une est sur la côte nord-est, l'autre est près du rocher. » La période est trop courte pour faire des datations précises au carbone 14.

– Dans la fosse orientale, au sud-est du lagon, qui est certainement la plus profonde de l'île (47 mètres), Philippe Lebaron, professeur de microbiologie à Paris-VI, a trouvé sur le fond une troisième couche d'eau caractéristique située en dessous de la couche qui produit de l'hydrogène sulfuré (H_2S). Il s'agit d'eau où l'activité bactériologique produit du méthane, qui est tout simplement du gaz naturel qui provient de la dégradation des matières organiques en milieu anaérobie (sans oxygène).

– Quelques rats sont de retour dans la cuisine et dans la cabane familiale, où l'un d'eux a sectionné de ses incisives acérées le bout en caoutchouc de la tétine d'Ulysse. Heureusement que Michel Pascal l'a trouvé en bonne santé !

Je ne terminais jamais ce travail d'écriture avant minuit ; Camille m'aidait à formater les photos pour qu'elles entrent dans l'espace qui m'était attribué sur le site Web de l'expédition. La finalité éducative de ces écrits m'imposait un style simple, attractif et documenté. De nombreux établissements scolaires travaillaient sur les données qu'ils recevaient tous les jours, tout particulièrement huit lycées ou collèges pilotes choisis par le ministère pour structurer l'« éducation à l'environnement pour un développement durable » (EEDD), une nouvelle matière au programme depuis la rentrée scolaire 2004. L'inspecteur général Gérard Bonhoure, en charge de cet enseignement, avait analysé le programme scientifique de la mission et répercuté auprès des enseignants les liens possibles entre l'expédition Clipperton et cette nouvelle matière. Nous avions été choisis comme tremplin pour la mise en place de cet enseignement transdisciplinaire qui s'applique à tous les échelons de la scolarité. Fort heureusement, les enseignants n'avaient pas attendu que les questions environnementales soient au programme pour en parler à leurs élèves. Il était important cependant d'officialiser cet enseignement pour en asseoir la légitimité et lui donner plus d'espace et de poids.

Aujourd'hui, les décideurs concernés « montent au feu » sur les problèmes d'environnement sans y avoir été éduqués; en effet l'émergence de ces questions dans l'opinion date des années soixante-dix. De plus, ils agissent dans une ingratitude totale car les solutions ne sont jamais simples à mettre en œuvre : elles ont des répercussions sur nos modes de vie et de pensée. Leur application demande un soutien politique trop souvent déficient car leurs effets sont rarement immédiats. L'inertie dans le traitement des problèmes environnementaux, dans leur prise en compte jusqu'à la mise en place des solutions, s'apparente à la conduite de ces pétroliers géants de 500 000 tonnes qui avancent encore de 20 kilomètres avant de s'immobiliser quand le commandant a demandé : « Arrière toute ! »

Donc, pendant que les aînés de bonne volonté traitent des problèmes environnementaux dans l'urgence sous la pression de l'opinion publique, nous devons préparer les générations montantes, futurs parents, décideurs professionnels ou politiques, à acquérir le « réflexe écologique » à un âge où l'on se passionne pour des causes sans être encore entravé par les liens et les pratiques qui verrouillent nos sociétés. On peut même rêver que ce « réflexe écologique », cultivé sur des générations, mute, par une métamorphose dont la nature a le secret, en « gène environnemental », grâce auquel les solutions deviendraient naturelles, évidentes. Ce « gène » serait porteur de ce qui nous fait le plus défaut, le « sens civique environnemental », qui est de même nature que l'éducation civique, c'est-à-dire l'apprentissage du respect de l'autre. Je pense que cette nouvelle discipline trouvera, elle aussi, sa substance en s'appuyant sur les réalités du monde.

C'est ce que j'essayais de faire une fois de plus depuis Clipperton, où les quarante chercheurs de toutes les disciplines qui allaient se succéder représentaient un exceptionnel gisement de connaissances et d'expériences. Le CNRS, le Muséum, l'IRD, toutes les institutions scientifiques, demandent aux chercheurs de parler de leur travail aux scolaires et au public. Pour les grands programmes européens, il est même obligatoire qu'apparaisse la rubrique *outreach*, véritable budget de communication pour le « faire savoir ». C'est une juste façon d'informer le contribuable sur l'utilisation de ses deniers, d'entretenir la culture scientifique du public et de créer des vocations chez les jeunes qui désertent de plus en plus les sciences.

Après quinze années d'expériences de programmes éducatifs et de conférences auprès de publics variés, adultes et scolaires, je me rendais compte du travail que j'avais accompli pour parler de choses complexes avec des mots et des images à la portée de tous. Ce travail d'instituteur du bout du monde me convient très bien, j'ai toujours eu le goût d'expliquer, en élargissant le propos. Assistant à la faculté de médecine de Toulouse, j'enrichissais mes cours d'enseignement dirigé d'histologie (étude des tissus) d'anecdotes et d'expériences acquises à l'hôpital et comme médecin généraliste. Je sentais bien, chez ces futurs praticiens, l'attention s'éveiller quand le cours allait au-delà du phénomène observé au microscope. La pédagogie est un travail de conteur exigeant, car le fait d'enseigner vous met en devoir de ne pas faire d'erreur. Aussi faut-il sans cesse que je m'instruise dans les domaines des sciences et de la technologie, mais il ne s'agit pas d'une contrainte car ces matières m'ont toujours passionné.

J'avais amené sur Clipperton une caisse de livres sur la biologie marine, l'océanographie, le climat, les coraux, l'ornithologie, les mammifères marins, toute une série d'articles parus dans *La Recherche*, dont je suis un fidèle lecteur, et bien sûr *Le Petit Larousse*, mon allié dans le choix des mots. Dans cette lourde cantine de livres j'avais glissé à la dernière minute un peu de ressources personnelles : *Robinson Crusoé* pour relire l'histoire sur une île déserte, un recueil de textes immortels de Jean-Henri Fabre sur les leçons de choses, *L'Échappée belle* de Nicolas Bouvier, le Proust des écrivains voyageurs dont *L'Usage du monde* m'a donné le goût d'écrire, et un ouvrage de Christian Bobin, poète de la condition humaine. On peut lire au dos du livre que j'ai choisi cette phrase lumineuse qui me soulage parfois des encombrements de mon être : « Il existe dans le ciel pour chacun d'entre nous une étoile suffisamment éloignée pour que nos erreurs ne puissent jamais la ternir. » De telles choses si bien dites sont de véritables remèdes qui vous délestent l'esprit du poids inutile dont on s'embarrasse souvent l'existence.

L'orage menaçait depuis la fin de l'après-midi et le dénouement approchait peu à peu. Dans les rafales le vent entrait du sud, ce qui semblait bien précoce pour la saison, un peu inquiétant même à cette période de l'année. Les habitations avaient été construites le dos vers l'alizé de nord-est, le vent dominant de décembre à avril. S'il se mettait à pleuvoir du sud, le réfectoire et notre cabane seraient vite inondés. La nuit noire précocement tombée ajoutait son poids d'inquiétude à l'intimidation du ciel. La fin du dîner semblait menacée d'interruption brutale. Les éclairs et le tonnerre se succédaient maintenant à une cadence de plus en plus serrée : l'orage arrivait sur nous. À la lueur des éclairs, on devinait l'épaisseur de la pluie qui traversait le lagon. Soudain, une masse d'air froid, épais, turbulent, poussée par le déplacement du mur d'eau traversa le bar des Fous, annonçant l'arrivée imminente de l'averse tropicale.

– Jean-Louis, les enfants ! me dit Elsa.

Je partis en courant vers la cabane, traversant la nuit à grandes enjambées sous la lumière stroboscopique des éclairs.

Je sentais de grosses gouttes me rattraper et, à peine arrivé à la cabane, ce fut le déluge. Des cataractes d'eau s'effondraient à la verticale sur le toit en tôle ondulée dans un vacarme assourdissant. Imperturbables, Elliot et Ulysse dormaient d'un sommeil profond.

Je m'assis à l'abri sur le plancher de l'auvent et, face à une mer démontée, je me laissai traverser par ce spectacle hallucinant, une violence de fin du monde. Par moments je m'attendais à ce que la cabane, poussée dans le dos par l'ouragan, bascule, mais il n'en fut rien. Quand le calme revint enfin, ce déchaînement des puissances de la nature en furie avait eu sur moi les bienfaits d'une catharsis.

Je me serais bien endormi avec les enfants, mais le journal de bord quotidien était un exercice auquel je ne dérogeais que très rarement.

Sous la tente-bureau, les pieds dans l'eau comme après chaque pluie abondante, Elsa travaillait sur le montage de sa troisième minute vidéo, dont elle assurait le tournage, le son, les interviews et le choix de la musique. Xavier triait avec Camille les photos numériques de la journée et Janot terminait une réussite sur son ordinateur portable avant d'aller se coucher. J'aimais bien cette ambiance studieuse dans le calme de la nuit.

Ce soir, j'avais choisi de consacrer ma chronique à Roger Swainston, notre peintre naturaliste. Spécialisé dans la peinture sous-marine des récifs coralliens. Il plongeait en général à la marée haute du matin et passait le reste de la journée à son atelier de fortune aménagé à l'entrée du labo sec. J'étais passé le voir dans l'après-midi. Assis calmement face à son modèle, il peignait une langouste, épinglée sur une planche, qu'il humidifiait régulièrement pour qu'elle ne perde pas ses teintes d'origine. La réplique parfaite apparaissait sur le papier Arche par touches successives de couleur d'une étonnante précision. Dans ce décor de nature sauvage, on se serait cru quelques siècles en arrière, du temps où les explorateurs embarquaient des peintres naturalistes chargés de rendre compte par le dessin et la peinture des espèces rencontrées. Roger aurait eu sa place à bord des navires de la découverte du monde, bien avant l'invention de la photographie. Certaines planches des collections du Muséum sont, dit-on, plus précises que les photos d'aujourd'hui.

J'ai toujours souhaité avoir le regard d'un peintre en expédition. Gildas Flahaut, bon marin, peintre de la force et du mouvement, avait été le premier d'entre eux à bord d'*Antarctica*. Un artiste apporte une sensibilité, il vous aide à voir. Je me souviens qu'en entrant dans la caldeira de l'île Déception, sur la péninsule Antarctique, nous étions tous sur le pont pour cet étroit passage impressionnant, et j'avais dit à voix basse :

– Que c'est noir !

Yvon Le Corre, lui aussi bon marin, bon peintre et charpentier de marine, s'était retourné vers moi et m'avait tout de suite repris :

– Non, Jean-Louis, que c'est rouge !

Effectivement, en le regardant peindre les parois du cratère de ce volcan éteint, la roche se révélait bien teintée d'un rouge profond.

Roger Swainston, qui nous accompagnait sur Clipperton, passait en général beaucoup de temps sous l'eau, où il dessinait ses grandes toiles. Catherine, son épouse, nous avait recommandé de faire attention à lui car, absorbé par sa tâche, il oubliait le temps qui passe et revenait toujours quand les bouteilles étaient vides, épuisé, en état d'hypothermie. Comme nous étions tributaires des marées, le temps passé sous l'eau lui était compté. Parler de son travail sur l'île ne suffisait pas à ce portrait de Roger, et je me rendais compte qu'il me manquait beaucoup d'informations sur le personnage et sa vie d'artiste. Nous vivions côte à côte depuis près d'un mois et je savais finalement très peu de chose sur cet homme au regard tendre et profond, trop discret, secret même, pour nous en apprendre sur lui-même.

Dans la cantine métallique où se trouvait la réserve de bouquins, je ne retrouvais pas la brochure que Roger nous avait donnée. J'étais pourtant persuadé de l'avoir emmenée. La pluie continuait à tomber sur la nuit noire du camp et, à cette heure – il était presque 23 heures –, Roger devait certainement dormir. Que faire ? Il était bien tard pour changer de sujet. Elsa, diplômée des Beaux-Arts, passait du temps avec Roger et connaissait l'artiste, mais elle était partie dormir. Je me retrouvais seul face à l'ordinateur et je vous avoue qu'il me fallut du temps pour découvrir ce qui allait dans le futur considérablement accélérer ma façon de travailler. J'ai tout simplement tapé « Roger Swainston » sur un moteur de recherche et, comme nous avions le haut débit, la vie, les expositions, le catalogue de ses œuvres se sont affichés sur l'écran.

Roger a grandi dans une ferme de l'Ouest australien, au cœur de la vie sauvage. Peintre précoce, il a aiguisé son regard sur les moindres détails qui caractérisent chacune des espèces. Le temps passé à bord d'un chalutier dans sa jeunesse l'encouragea à faire des études de zoologie à l'université. Son diplôme en poche, il collabora avec le département d'ichtyologie du Muséum pour la classification des poissons et la collecte des spécimens sur le terrain. Il passait du temps à peindre chacune des espèces, si bien qu'en 1983 on lui confia les illustrations du premier guide des poissons de mer de l'Ouest australien. Ce fut le départ de sa vie professionnelle de peintre naturaliste.

En fin d'après-midi, à l'heure où les enfants prenaient leur bain dans une bassine sous l'auvent de la cabane, Roger venait souvent pêcher sur le récif avec sa canne à lancer et un petit sac en bandoulière pour les poissons. Le menton posé sur la rambarde en filet de pêche, Elliot le regardait sans dire un mot. C'était apaisant d'observer l'état contemplatif de ce petit homme. Ça me touchait. Qu'allait-il rester de cette expérience dans sa vie ? Peut-être pas le souvenir des faits ni du lieu, mais certainement une relation plus facile avec les adultes, l'acquisition rapide de l'autonomie, la capacité à s'émerveiller, une aisance dans la nature… et des muscles – jamais il n'avait eu autant d'appétit.

Depuis que nous étions ici, le monde tournait sans nous, mais la Terre continuait sa ronde et le Soleil nous aidait à compter les jours.

CHAPITRE 18

Le lézard de Clipperton. Bernard-l'ermite. Molécules sous-marines anticancéreuses.

Un nouveau carcinologue et un biochimiste des substances antitumorales avaient succédé à l'herpétologiste qui était parti, emportant pour examen des prélèvements de gecko et de scinque d'Arundel. Le carcinologue était certain que ce *Calcinus explorator*, qui s'était développé à partir des larves de pagures mexicains, cherchait une coquille à sa taille pour protéger son ventre mou ; il m'a glissé dans la conversation qu'il s'agissait d'un décapode, ce qui faisait considérablement progresser l'enquête. L'herpétologiste était fébrile : le gecko mutilé avait la chair à vif et le scinque était un vampire endémique. L'estomac de ce dernier contenait des parasites gorgés de sang de fous sur lesquels se penchaient quatre ornithologistes. Celui du gecko observé après autopsie renfermait des reliquats d'insectes prédigérés difficilement identifiables ; il les a prélevés et comptait bien sur l'avis de l'arachnologue qui avait fait une enquête entomologique deux mois plus tôt. Actuellement, une équipe franco-espagnole plongeait tous les jours pour collecter des algues, des éponges et des ascidies, avec l'espoir de trouver des molécules bioactives anticancéreuses.

Voilà l'ambiance qui régnait alors sur l'atoll, à quelques semaines du départ. On pourrait penser que l'hôpital de Clipperton hébergeait un patient dans la phase terminale d'une maladie rare, eh bien, non, soyez rassuré, il ne s'agissait en fait que de scènes de la vie quotidienne des chercheurs en période d'inventaire. Ils observent, enquêtent, prélèvent, mesurent, trient, conservent, conditionnent, et partent, après ce plaisant travail de terrain, passer des mois plus austères et fastidieux sur les paillasses et les microscopes de leurs laboratoires. Les mots qu'ils utilisent ne sont que des outils professionnels très spécialisés. Il ne faut pas se laisser impressionner par le langage, les termes hermétiques. On peut aimer la nature sans se perdre dans l'encyclopédie, comme on peut aimer la musique sans connaître le solfège. Le temps passé avec eux ouvrait tous les jours des fenêtres sur notre compréhension du monde.

Ivan Ineich, herpétologiste au Muséum national d'histoire naturelle, avait passé douze jours à explorer l'île, pour étudier les deux reptiles déjà signalés sur Clipperton : le lézard d'Arundel, décrit en 1897 par Arundel lui-même, l'explorateur du phosphate, et un gecko, décrit pour la première fois en 1958. Ivan connaît bien tous les reptiles terrestres et marins du Pacifique, sur lesquels il a publié beaucoup d'articles scientifiques. À force de les observer, cet homme a l'œil aiguisé du naturaliste, capable d'identifier du bout de la queue un serpent qui s'enfuit dans les fourrés. Il les saisit d'ailleurs avec la même promptitude. Quelques heures après son arrivée sur l'île, il avait déjà un lézard dans sa poche. Pour avoir essayé plusieurs fois de les attraper sans jamais y parvenir, j'étais admiratif.

Dès qu'il eut posé le pied sur l'atoll, Ivan voulut tout de suite entreprendre l'investigation de la cocoteraie, afin de constater par lui-même que le lézard d'Arundel avait bien déserté le sol ombragé du bosquet pour le calcaire aride du platier corallien, alors que ses ancêtres vivaient à l'ombre. Pour comprendre l'évolution des habitudes de vie de ce scinque, il faut refaire son trajet migratoire. Ses ancêtres résident toujours dans les îles ombragées de Malaisie et d'Indonésie. La dispersion de l'espèce vers l'est s'est faite à la suite d'ouragans. Leur violence arrache des arbres et des buissons qui partent à la dérive, emportant des insectes ou des petits reptiles qui s'y sont réfugiés. Quand ces radeaux s'échouent sur une terre, toutes les espèces qui le composent et l'habitent, végétales et animales, sont introduites, mais il n'est pas dit qu'elles s'y développent. C'est ainsi que la colonisation du Pacifique s'est faite d'ouest en est, d'île en île, à l'occasion de grands événements climatiques. On comprend facilement ce « gradient de la biodiversité » entre les deux côtes du Pacifique, où la variété des espèces est considérable vers l'arc indo-malais, moitié moindre en Polynésie et très limitée à Clipperton, situé tout au bout du chemin.

Il y avait de cela très longtemps, un groupe d'*Emoia cyanura* s'était échoué sur Clipperton ; il n'y avait aucun cocotier (ils ont été introduits récemment par l'homme), pas la moindre trace d'ombre pour s'abriter, aucun des petits crustacés dont ils avaient l'habitude de se nourrir. Quelques couples avaient réussi à survivre à l'ombre des anfractuosités du corail mort. À force de sortir au soleil, leur peau s'était noircie de pigments de mélanine, tant et si bien que ce caractère s'était imprimé dans les gènes et transmis à la descendance pour créer une espèce unique, endémique, ne vivant que sur cet atoll. C'est le lézard qu'avait trouvé Arundel ; son nom est *Emoia Arundeli*. Ivan en avait capturé quelques-uns qu'il disséqua. En ouvrant l'estomac du premier, il fit une découverte à laquelle il ne s'attendait pas du tout : ce scinque était un VAMPIRE ! Il multiplia les dissections avec toujours le même résultat : le scinque d'Arundel se nourrissait principalement de tiques gorgées de sang. Ces tiques se fixent sur la peau des oiseaux et, une fois gorgées de sang, elles se détachent. C'est alors que le lézard les capture. Quelques semaines après son retour au Muséum, il nous adressa un *e-mail* :

> Mes recherches au labo confirment les observations faites sur l'atoll. C'est une belle découverte, qui me fait bien plaisir. Il semblerait que ce type d'alimentation ne soit pas encore connu chez les reptiles. Une première ! Bel exemple aussi d'adaptation à la pauvreté de l'alimentation pour un lézard sur cet atoll isolé.

L'autre sujet d'observation, le gecko mutilé, se trouvait surtout dans la partie du rocher où Ivan allait l'observer la nuit. Ce lézard grimpeur est strictement nocturne et se nourrit principalement des jeunes cafards qui y grouillent. On l'a nommé

Gehyra mutilata car son pouce est dépourvu de griffe, contrairement aux autres doigts et orteils. Si vous essayez de le saisir, sa peau vous reste entre les doigts et il se sauve. Ce comportement est surprenant pour qui le manipule pour la première fois. La peau se régénérera rapidement pour recouvrir la chair à vif. Contrairement au scinque d'Arundel, ce lézard a été introduit par l'homme sur Clipperton après 1958, probablement à la suite du naufrage d'un bateau en provenance des Philippines, d'où il est natif. Le gecko est ce lézard aux formes bourgeonnantes capable de marcher au plafond ou de monter sur des vitres ; contrairement à ce que l'on peut penser, il n'a pas de ventouses au bout des doigts, mais des soies terminées par un crochet qui s'immisce dans les rugosités microscopiques des surfaces.

L'herpétologiste et le carcinologue se sont croisés sur le bateau à Acapulco. Joseph Poupin arrivait de Brest, où il est enseignant chercheur à l'École navale. Joseph connaît bien le Pacifique ; il a passé de nombreuses années en Polynésie, où il s'est spécialisé dans l'étude de la faune marine tropicale. Il a un faible pour les bernard-l'ermite, ces crustacés qui donnent l'impression de traîner péniblement leur coquille, dans laquelle ils se réfugient à la moindre alerte. On pourrait supposer qu'ils sont plus à l'aise en mer, mais comment imaginer qu'ils puissent naviguer sur une longue distance en tirant ce fardeau ? Car il a bien fallu traverser l'océan pour arriver jusqu'ici. En fait, ce sont les larves de ces pagures (autre nom du bernard-l'ermite) qui ont fait le voyage. Poussé par les courants au départ des côtes mexicaines, de Californie ou des Galapagos, un très faible pourcentage de ces larves s'est échoué sur les hauts-fonds de Clipperton.

Après plusieurs métamorphoses, ces larves pré-adultes descendent se fixer sur le fond, dans 50 centimètres d'eau. La dernière transformation va les conduire au stade adulte : à partir de là, le bernard-l'ermite devra trouver une petite coquille à sa taille pour abriter son abdomen mou et fragile. En effet, ce petit pagure de 2 centimètres n'a pas de carapace pour protéger son abdomen, par opposition aux autres crustacés. Ce qu'on appelle la queue chez la langouste et la crevette est en fait un abdomen qui est protégé par une carapace résistante. Au fur et à mesure de ses mues successives, le bernard-l'ermite grossit et va devoir squatter un logement plus grand, une coquille morte dans laquelle il enroulera son corps, laissant à l'extérieur ses dix pattes. Le pagure est un décapode, comme le crabe, la langouste et la crevette.

Calcinus explorator est le plus commun des bernard-l'ermite de l'atoll, dont les ancêtres vivent sur le continent américain. Il est tout noir, avec deux petits anneaux orange au bout des pattes. De son œil aiguisé, Joseph a aperçu un proche parent de *Calcinus californiansis*, un autre bernard-l'ermite qui vient lui aussi du continent américain et dont la petite caractéristique est d'avoir le bout des pattes rouge, avec une extrémité orangée, alors que l'espèce d'origine a les pattes noires. Cette espèce pourrait bien être endémique, c'est-à-dire que, à travers des mutations successives induites par l'environnement et les conditions de vie sur l'atoll, elle serait devenue une espèce unique, propre à Clipperton.

– On va rechercher au niveau des gènes la signature de cette caractéristique pour confirmer qu'il s'agit bien d'une espèce à part entière.

Il n'y a pas de plus grande joie pour un naturaliste que la découverte d'une nouvelle espèce.

– Tu sais, Jean-Louis, pour perdurer ainsi, cette couleur a dû jouer un rôle favorable à l'espèce, soit comme camouflage, soit pour la séduction. Il faut ajouter à cela l'isolement géographique, qui a renforcé cette mutation, si bien qu'on peut considérer qu'elle est devenue endémique, ce qui ferait une nouvelle espèce dans la collection, dit Joseph d'un air très satisfait.

C'est une spécificité de cet ordre qu'avait observée Darwin sur les treize espèces de pinsons réparties dans l'archipel des Galapagos. En étudiant ces variations, il s'était rendu compte que les animaux et les plantes se transforment sous la contrainte du milieu. Soumis à la « loi d'airain » de l'environnement, les plus aptes survivent, se reproduisent et transmettent un patrimoine héréditaire de mieux en mieux adapté. Après un quart de siècle de réflexions et de décryptage de ses observations, Darwin avait publié son livre *De l'origine des espèces par la voie de la sélection naturelle*, à l'origine de sa théorie de l'évolution. Au même titre que les Galapagos, Clipperton méritait bien le titre de « laboratoire de l'évolution ».

Philippe Amade ruminait sous le soleil cuisant, baignant dans sa combinaison étanche à la transpiration. Il sortait de sa première plongée et les choses ne s'étaient apparemment pas bien passées. Carlos, son collègue espagnol, se voulait moins inquiet, moins négatif:

– Il n'y a pas beaucoup d'espèces à collecter, très peu d'éponges, et elles sont toutes petites. Je crois que nous n'arriverons pas à sortir beaucoup d'échantillons, mais il suffit de quelques-uns qui soient intéressants pour que la récolte soit bonne.

À quatre, deux Français et deux Espagnols, ils formaient une bordée de plongeurs très soudée. Sous contrat avec l'industrie pharmaceutique, ils explorent toutes les mers du monde à la recherche de molécules anticancéreuses. Philippe Amade, de l'Institut national de la santé et de la recherche médicale (INSERM), chargé de recherches au laboratoire de chimie bio-organique du CNRS à Nice, dirigeait cette récolte avec ses trois biologistes plongeurs, Carlos de Equilior Trinxet, Santiago Bueno Horcajadas, tous deux espagnols, et Mathieu Foulquié. Ils plongeaient deux fois par jour à des profondeurs variant entre 10 et 60 mètres, où ils récoltaient principalement des algues, des éponges et des ascidies. À Clipperton la biodiversité est minimale, si bien que le volume des échantillons prélevés était assez faible, ce qui ne préjugeait d'ailleurs en rien de leur potentiel pharmacologique, comme l'avait signalé Carlos. Après la récolte sous-marine, qui est la part ludique de la recherche, les quatre hommes passaient du temps au laboratoire humide pour nettoyer, tamiser, trier, sélectionner et conditionner les échantillons précieusement conservés au congélateur: ils pourraient contenir un futur médicament contre le cancer.

En les regardant travailler, on percevait l'expérience efficace du travail en équipe et on devinait que, au-delà de l'inventaire naturaliste, ils avaient des engagements de résultats. À la fin de leur séjour, les boîtes étiquetées allaient partir pour un long voyage frigorifique de Clipperton jusqu'au laboratoire Pharma-Mar en Espagne. Ce voyage préparé de longue date préoccupait Philippe car l'interruption de la chaîne du froid anéantirait plusieurs mois de labeur, sans aucune perspective de rattraper le coup tant la logistique sur Clipperton était rare et difficile à organiser. Je sus en arrivant en France que tout s'était bien passé.

Les échantillons vont maintenant suivre un protocole assez standardisé, celui que l'on applique à tous ceux récoltés dans la nature. Les extraits bruts de chaque exemplaire seront testés par criblage haut débit sur des cellules cancéreuses du côlon, du poumon ou d'autres tissus. Le potentiel anticancéreux sera évalué selon la toxicité de la préparation pour les cellules tumorales humaines. Puis chaque extrait sélectionné subira une opération d'extraction, de séparation et de purification, conduisant à l'élaboration de la structure moléculaire du principe actif. De la récolte sous-marine à l'élaboration d'une molécule active, il s'écoulera de deux à trois ans. Quand un nouveau principe actif sera isolé, le laboratoire protégera sa découverte par un brevet. Il entrera ensuite dans le très long parcours des essais cliniques et toxicologiques, avant de devenir, huit à dix ans plus tard, un nouveau remède. C'est ce long investissement qui explique le coût élevé de certains médicaments. La recherche de molécules bioactives en milieu marin est relativement récente. Mis à part quelques algues utilisées comme anti-inflammatoires en Bretagne, il n'existe pas de pharmacopée sous-marine traditionnelle, à l'instar des plantes médicinales terrestres. C'est un nouvel univers pour la recherche médicale.

CHAPITRE 19

Les ornithologues et les fous.
La menace de la surpêche.

Le silence n'était pas de mise. Nous étions criblés de cris de fous en suspension entre le souffle de l'alizé et la houle du large. L'oiseau de mer glisse dans les airs toute sa vie durant et ne revient à terre que quelques mois pour assurer la continuité de l'espèce. Nous vivions sur ce bout d'île au milieu de ce ballet incessant de la reproduction, objet de toutes les attentions de nos ornithologues. Deux équipes allaient se succéder : au mois de janvier, Henri Weimerskirch, du Centre d'études biologiques de Chizé (CNRS), et Mathieu Le Corre, du laboratoire d'écologie marine à l'université de la Réunion (ECOMAR) ; puis, en mars, Charly Bost, lui aussi du Centre d'études biologiques de Chizé, et deux Américains, Lisa Ballance et Robert Pitman, de la NOAA San Diego, Californie. Mettant leurs compétences en commun, ils se proposaient d'étudier tout particulièrement l'écologie du fou masqué de Clipperton, de loin la plus importante colonie au monde, ses relations avec le milieu marin et l'impact de la pêche sur le développement de l'espèce.

Suivre la vie des oiseaux de mer quand ils sont à terre exige de se lever très tôt le matin pour approcher leurs colonies avant qu'ils ne partent en mer, et de rentrer la nuit, après leur retour au nid.

Tous les soirs, à la réunion de préparation du lendemain, j'étais ravi par la sobriété des besoins des ornithologues. Ils se déplacent toujours à pied pour ne pas déranger et mieux observer les oiseaux, emmenant un matériel léger et peu encombrant : des jumelles, une épuisette pour attraper les oiseaux au sol, un peson, un carnet de notes, des bagues, des étiquettes plantées dans le sol afin d'identifier les nids, des couleurs pour marquer la poitrine des oiseaux étudiés… et une paire de gants de fauconnier pour se protéger des coups de bec. De temps en temps, quand ils sont assurés de la fidélité au nid d'un oiseau, ils l'équipent de petits bijoux de haute technologie : balise Argos, GPS et accéléromètre, sorte de boîte noire d'enregistrement des paramètres du vol. Vous avez sûrement entendu parler des balises Argos, notamment pour déterminer la position des voiliers pendant les courses au large. Il s'agit d'un petit émetteur que l'on fixe sur tout engin ou animal dont on veut suivre le déplacement. Le signal est relayé par satellite et reçu chez CLS, à Toulouse, qui donne à l'abonné la position de la balise. Avec ces instruments miniatures de 30 grammes collés sur le dos des oiseaux, on peut savoir où ils vont se nourrir, à quelle profondeur ils plongent et quelle distance ils parcourent pour ramener la becquée à leurs petits qui les attendent affamés au nid.

Henri n'est pas d'une nature expansive, mais ce soir-là je devinais qu'il était contrarié.

– Quelque chose ne va pas ?

– Non, rien de grave, mais j'ai posé une balise Argos sur un oiseau il y a deux jours et il n'est pas revenu. Pourtant nous avions bien observé ses allers-retours pendant cinq jours, il rentrait tous les soirs au nid. Ça arrive, dit-il d'un air dépité. Ce qui m'ennuie, c'est que nous avons seulement cinq appareils, car ces instruments miniaturisés coûtent une petite fortune !

Après un long silence il conclut :

– Ce qui est positif, c'est que deux autres oiseaux équipés sont revenus. Deux sur trois, c'est déjà un bon rendement.

– Tu sais quelle distance ils ont parcourue ?

– Oui, il faudrait que je regarde les grilles de résultats, mais, de mémoire, l'un est allé à 250 kilomètres et l'autre à 300. Les enregistrements de l'accéléromètre nous disent que, pour pêcher, les fous masqués plongent jusqu'à 6 mètres, de trente à cinquante fois par jour, ce qui représente une certaine dépense énergétique. Je pourrai te le montrer sur l'écran si tu veux.

— Autre chose que je tenais à te dire, ajouta Mathieu Le Corre, ornithologue et éthologiste, c'est-à-dire qu'il étudie le comportement des oiseaux. Grâce à Internet haut débit, nous recevons les fichiers Argos au fur et à mesure de leur sortie. C'est très satisfaisant d'avoir ainsi accès aux données sur le terrain.

— Vous avez examiné le contenu stomacal de ce qu'ils ramènent?

— Normalement, de retour au nid, les poussins affamés plongent leur bec dans la gueule des parents, ce qui déclenche la régurgitation du contenu de l'estomac dans celui du poussin. Mais pour étudier la nourriture que les parents ramènent à leur progéniture, il faut les faire régurgiter. C'est toujours très impressionnant : on trouve essentiellement des exocets (poissons volants), des calmars et des petits thons. Un jour on en a pêché un de 40 centimètres de long ! C'était la seule prise, mais il fallait quand même l'avaler.

— Ce sont des pêcheurs exceptionnels, ajouta Mathieu. Dès qu'ils l'ont repérée, ils plongent sur leur proie, qu'ils serrent dans leur bec équipé d'une multitude de petites dents, semblables à des dents de scie, dont il est difficile de s'arracher.

— Je sais, j'ai déjà fait l'expérience, qui s'est terminée par de véritables traits de scie sur la peau de la main.

— Une fois la proie saisie, l'oiseau remonte à la surface et, à force de coups de bec agiles, tourne le poisson de façon à l'ingurgiter par la tête pour qu'il glisse facilement dans le gosier. Ce sont de redoutables chasseurs.

Pendant la journée, les ornithologues arpentaient l'île, les jumelles autour du cou et un carnet de notes à la main pour observer les comportements, noter les oiseaux de passage, débusquer l'action des prédateurs (crabes et rats), surveiller la croissance des petits, effectuer des comptages... Ils arrivaient souvent en retard au déjeuner, la peau brûlée et la bouche sèche, déshydratés après des heures en plein vent sous le soleil.

— On compte actuellement vingt-cinq mille couples reproducteurs et une population totale d'environ cent mille oiseaux adultes, précisa Charly en s'effondrant sur la chaise. Ils sont répartis sur toute la surface de l'atoll, ce qui fait de la distance à parcourir. Clipperton est de loin la plus importante colonie de fous masqués au monde, la deuxième étant aux Galapagos avec seulement dix mille individus.

Pour suivre une colonie aussi vaste, les ornithologues sélectionnaient des nids marqués d'une étiquette numérotée enfoncée dans le sol, et ils taguaient les oiseaux sur la poitrine d'un coup de spray de couleur afin de mieux les repérer. Quand au moins un des parents était parti en mer – c'est en général la mère qui nourrit les petits –, l'oisillon pouvait être attrapé facilement pour que sa croissance soit suivie. D'un coup d'épuisette rapide, le chercheur coiffait l'oisillon à terre et le pesait dans la foulée. L'emplacement et le poids étaient notés sur le carnet de terrain, véritable livre de bord personnel où le chercheur consigne toutes les informations qui serviront à la publication de ses travaux.

À la fin du mois de janvier, avant de quitter l'île, Henri et Mathieu nous avaient signalé que de nombreux poussins perdaient du poids, qu'ils souffraient d'un manque de nourriture. Protégés par leur boule de duvet blanc, ils devenaient plus vulnérables après la pluie, qui leur collait le duvet sur la peau. Après chaque grain, on trouvait de nombreux oisillons sans défense tremblotant jusqu'à la mort pour lutter contre le froid.

Coïncidence révélatrice, cette recrudescence de la mortalité, particulièrement importante en février, frappait la colonie après deux campagnes de pêche intensives.

Henri nous confirmait par *e-mail* qu'un oiseau équipé de balise était allé pêcher à plus de 300 kilomètres du nid et que de nombreux parents s'absentaient pendant trois jours. Ce long trajet pour chercher du poisson et les carences constatées chez les poussins pouvaient être mis sur le compte de la pêche intensive des douze bateaux-usines aperçus autour de Clipperton au mois de janvier.

La ration quotidienne de calmars et de poissons volants délivrée à un poussin est estimée à 300 grammes par jour. Si on ajoute la part alimentaire des deux parents et des jeunes immatures, on considère que l'ensemble des fous masqués prélève tous les jours 30 tonnes de poissons volants et de calmars dans les eaux de Clipperton, ce qui est considérable. Une chose m'échappait dans la corrélation entre la surpêche et la sous-nutrition des oiseaux de mer. En effet, les thons et les fous masqués mangent essentiellement la même nourriture, des calmars et des exocets; alors comment se faisait-il que les fous ne trouvaient plus assez de nourriture après une campagne de pêche qui avait réduit considérablement le nombre des thons, leurs principaux compétiteurs? En fait, les poissons volants et les calmars fuient vers la surface pour échapper aux bancs de thons, et c'est là, dans les dix premiers mètres d'eau, qu'ils deviennent faciles à saisir pour les fous. Les fous dépendent des thons pour accéder à leur nourriture: moins de thons, moins d'exocets et de calmars, donc sous-alimentation des fous.

Un autre oiseau de mer est encore plus exposé que les fous à la surpêche des thons, c'est la frégate, magnifique planeur, sorte d'albatros des tropiques. Si le fou peut aller chercher sa nourriture en plongeant dans les dix premiers mètres, la frégate est condamnée à chasser au ras de l'eau. D'une part son plumage n'est pas étanche, si bien qu'elle ne peut pas plonger, au risque de couler, d'autre part ses pattes trop courtes et non palmées ne lui permettraient pas de décoller si elle venait à se poser sur l'eau. Pour pêcher sa nourriture, elle repère depuis les airs, les bancs de thons ou de dauphins qui traquent les poissons ou les calmars, et elle les saisit au vol quand ils sautent hors de l'eau pour échapper à leurs prédateurs sous-marins. Un autre allié des oiseaux de mer est la dorade coryphène, qui chasse l'exocet dans les eaux de surface où elle vit, entre 0 et 3 mètres de profondeur.

Tout ce qui touche la pêche a des répercussions sur la vie des oiseaux de mer, qui sont de ce fait considérés comme d'excellents bio-indicateurs sur les ressources halieutiques. C'est un sujet sur lequel les ornithologues qui nous accompagnaient avaient travaillé dans le secteur des îles australes françaises, où le problème de surveillance de la pêche se pose d'une manière cruciale. Des bateaux pêchent la légine et le poisson des glaces sans autorisation et sans éthique, et ils pillent la zone sans scrupule. Dans ce secteur de l'océan Indien, très étendu et poissonneux, la France a dépêché l'*Albatros*, un patrouilleur basé à la Réunion. Sa mission principale est la surveillance et le contrôle des zones économiques exclusives (ZEE) des Terres australes et antarctiques françaises jouxtant l'archipel Crozet, les îles Kerguelen, Saint-Paul et Amsterdam. Il est aidé dans cette tâche difficile sur un domaine aussi étendu par les satellites *Radarsat* et *Envisat*, qui détectent tous les bateaux qui sont dans la zone. Pour faire la distinction entre les pirates et les pêcheurs en situation régulière, on équipe ces derniers de balises Argos, ce qui permet de les localiser. Tout écho renvoyé par le satellite qui ne correspond pas à un écho Argos est alors suspect et entraîne normalement la visite d'un patrouilleur. Le système est dissuasif et les satellites montrent maintenant que les pirates n'osent plus s'aventurer dans les ZEE, ils pêchent en bordure. Il faut rester prudent, mais il semblerait qu'une petite chance soit ainsi donnée à la légine et au poisson des glaces.

Ce système est-il applicable à Clipperton ? Les satellites peuvent donner une idée du nombre de navires pêchant illégalement et sans contrôle dans la ZEE de Clipperton. Mais une fois repérés, il n'y a aucun moyen d'intervenir ; la flotte du Pacifique est basée à Papeete, à près de 5 000 kilomètres. Clipperton, trop isolé, paraît bien fragile face à ces armadas de pêche équipées sans limites pour tout capturer sans discernement : un hélicoptère par bateau pour repérer les bancs, des embarcations rapides pour les précipiter dans les filets et des radeaux dérivants autour desquels les poissons se regroupent, provoquant leur concentration artificielle. La pêche au thon est une industrie si lucrative, dépendant de groupes de pression si puissants qu'on s'interroge pour savoir comment ramener tout ce monde à la raison.

Un objet flottant non identifié dérivait à 200 mètres du récif et une bordée de plongeurs le transporta à terre. Une demi-sphère transparente de 70 centimètres de diamètre recouvrait des panneaux solaires et la partie inférieure était un flotteur conique. Sur la coupole en plexiglas était inscrit au pinceau à la main : « P Tuna. Albacora 1. 124. » Dix minutes après l'avoir posée au sol, un mécanisme sonore se mit en marche. Il n'y avait aucun interrupteur étanche pour arrêter ce bruit rauque, aucune information sur la nature de l'engin (une mine?), pas de numéro de téléphone... Rien, sauf une petite inscription : « Zunibal », que je me suis empressé de chercher sur Internet. Nous étions en possession d'une bouée automatique de construction espagnole (voir « Zunibuoy » sur Internet), que les pêcheurs accrochent aux radeaux dérivants et qui transmet en permanence la position, la route, la vitesse de dérive, la température de l'eau et la présence ou non de thons sous le radeau, détecté par un sonar.

Ne sachant qu'en faire, je me suis adressé au département océanographique de CLS à Toulouse, qui gère les balises Argos et que je connais bien. Voici ce qui m'a été répondu :

> Des milliers de bouées de ce type dérivent dans l'océan Pacifique, Indien et Atlantique. Il y a actuellement de 200 à 300 thoniers senneurs de grande taille qui pêchent avec cette technique de suivi d'épaves dérivantes par des balises satellites de ce type, et ils en « consomment » en moyenne 200 par an et par navire !

Ces radeaux attirent surtout les jeunes thons qui deviennent la proie des adultes, ce qui aggrave la mortalité des juvéniles, déjà très élevée dans l'espèce. À cette cadence les thons n'échapperont pas au même destin que les morues de Terre-Neuve, qui ne réapparaissent plus malgré le moratoire sur la morue du Nord en 1992.

Les requins ne sont pas épargnés. Fini l'aquarium à requins décrit par toutes les missions jusqu'à la fin des années soixante. Ça grouillait de requins de toutes les espèces. Et le massacre continue, toujours pour la même et unique raison : le juteux marché de l'aileron de requin. En venant sur Clipperton, le *Prairial* de la Marine nationale avait contrôlé un bateau costaricain en situation de pêche irrégulière dans la zone économique exclusive autour de l'atoll. Le haut-commissaire de la Polynésie française avait ordonné la confiscation des palangres, ces longues lignes équipées de chapelets d'hameçons, et la mise à l'eau de la cargaison. Ils avaient trouvé dans les congélateurs en soute des thons, des daurades coryphènes et des ailerons de requin enfilés sur des câbles ! Les corps des squales ont été rejetés à la mer vivants, sans défense, donnés en pâture à leurs congénères et à tous les autres poissons du secteur. Un chercheur de l'IRD me disait que le déclin des requins dans tous les océans est ahurissant, victimes d'une tradition culinaire d'un autre âge.

Le 2 mars 2005, je notai sur le journal de bord :

> – Un très gros requin de 4 à 5 mètres, certainement un requin-tigre, a été aperçu hier par Xavier Desmier et aujourd'hui par Loïc Charpy, à proximité du tombant en face du camp, dans les eaux troubles remuées par la houle.
> – Les plongeurs de Philippe Amade ont vu un groupe de plus de cent requins-marteaux qui passaient au-dessus d'eux alors qu'ils effectuaient des prélèvements par 40 mètres de fond.
> – Bernard Seret et Philippe Béarez, tous les deux ichtyologues au Muséum national d'histoire naturelle, à Paris, ont une ligne à requin (câble inox et hameçon de 16 centimètres) qui a été sectionnée, ce qui donne une idée de la taille de l'animal.
> – Mathieu Foulquié a croisé un requin soyeux d'environ 1 mètre de long, avec un hameçon monté sur un fil de nylon accroché à la mâchoire.
> Il faut dire que le bateau de pêche du gros américain, le *Royal Polaris*, a tourné autour de l'atoll pendant cinq jours, ce qui a sûrement alerté tous les requins du pays.

Le bateau de pêche au gros américain de San Diego, Californie, a tourné autour de l'île deux fois cinq jours à un mois d'intervalle. Il était en possession d'une autorisation de pêche. Le capitaine connaissait le coin mieux que quiconque, il venait sur Clipperton depuis plus de vingt ans.

– Ici, le client n'est jamais déçu, on est toujours assuré de trouver du poisson, nous a-t-il dit.

La signature de ses nombreux passages était au fond de l'eau ; l'île était emmaillotée par des kilomètres de câbles de nylon accrochés au corail. En pêche nuit et jour, une trentaine de clients se relayaient sur la plage arrière. Si la prise ne les intéressait pas, le fil était sectionné et le poisson libéré avec un hameçon dans la gueule. L'heureux échappé des congélateurs du *Royal Polaris* avait quand même peu de chances de s'en sortir vivant. Après avoir engagé toutes ses forces pour échapper à la traction implacable du moulinet de pêche au gros, il était abandonné tétanisé. C'est alors que les requins intervenaient sur des proies faciles, sans défense. Certaines fois le requin n'avait même pas attendu et le pêcheur ne remontait que la tête, le corps du poisson ayant été dévoré en bout de ligne.

Le retour simultané des requins et du *Royal Polaris* autour de Clipperton pourrait être déclenché par un réflexe conditionné : le ronronnement des moteurs, perçu de très loin par les squales, signifie pour eux l'abondance de proies faciles. Dans les zones touristiques très fréquentées, il est interdit de chasser au fusil sous-marin car la détente du sandow émet un bruit que le requin perçoit et associe à la présence de nourriture.

Bernard Séret, spécialiste des requins au Muséum, avait profité du *Royal Polaris* pour effectuer quelques prélèvements de grosses tailles, difficiles à faire depuis nos embarcations. Malheureusement, un conteneur d'échantillons a coulé au moment de l'embarquement sur le *Rara Avis*, ce qui réduit considérablement la portée son étude sur les requins de Clipperton.

Soyons réalistes : ce n'est pas la pêche au gros qui bouleverse l'écosystème de l'île, mais il devient urgent de créer une aire de reproduction alentour, une première couronne d'eau où la nature reprendrait ses droits.

Pendant ce temps et sans se décourager, les ornithologues baguaient inlassablement les oiseaux qu'ils étudiaient. Mathieu Le Corre et Henri Weimerskirch en avaient bagué environ quatre cents, dont trois cents fous masqués ; Charly Bost, Lisa Ballance et Bob Pitman avaient pris le relais. Chaque bague est un « numéro d'identité » unique au monde posé définitivement sur un oiseau. À chaque baguage on note le lieu, l'espèce et le maximum d'informations : sexe, âge, poids… Les données de baguage sont centralisées dans chaque pays. En France, c'est le Centre de recherche sur la biologie des populations d'oiseaux (CRBPO) au Muséum national d'histoire naturelle, à Paris, qui s'en charge. Tous les centres de baguage sont connectés à un réseau international, qui permet d'obtenir très vite des informations après la découverte d'un oiseau bagué. Le 6 janvier 2005, Mathieu et Henri ont contrôlé un fou à pattes portant une bague américaine. Deux jours plus tard, ils recevaient par Internet les informations. Ce fou avait été bagué, quand il était un poussin, à Hawaii en 2000, et il se retrouvait cinq ans plus tard, adulte, dans une colonie de reproduction à Clipperton, à 5 500 kilomètres de son lieu de naissance. Cette découverte montrait simplement que les colonies de fous à pieds rouges du Pacifique ne sont pas isolées les unes des autres. Les données de baguage permettent aussi de connaître les trajets migratoires et la longévité de l'animal. Chaque oiseau bagué est porteur de données très précieuses. Si vous en trouvez un, contactez le CRBPO sur son site Web, il mènera l'enquête et vous renverra toutes les informations sur l'origine de votre découverte.

À la fin de l'expédition, Charly Bost et ses collègues américains avaient constaté un comportement jamais observé chez les oiseaux, et peut-être dans l'ensemble du règne animal. Cette observation faite chez les fous masqués bouleversait la règle communément admise de la sélection naturelle, que l'on pourrait résumer de façon un peu abrupte par la formule « s'adapter ou mourir ». Une malformation de l'aile, retrouvée à l'identique sur de nombreux juvéniles, les empêchait de voler. Ces oiseaux étaient totalement dépendants pour survivre. À force de les observer, les ornithologues avaient eu la surprise de constater que les parents continuaient à nourrir leurs petits congénitalement handicapés, dont les plus âgés devaient avoir plus de deux ans. D'après nos spécialistes, ce comportement des parents est entretenu par la permanence au nid du poussin handicapé. En quémandant la nourriture, il entretient chez l'adulte reproducteur un taux élevé d'hormones prolactines, responsables, comme chez l'humain, de l'investissement parental. La cause du handicap n'est pas établie, mais semble résulter de la malnutrition. Lisa et Bob ont emporté aux USA quelques spécimens dans un congélateur, pour déterminer la cause de ces malformations.

Sans faire d'anthropomorphisme, cette observation pourrait nous conduire à penser que les lois de la nature ne sont peut-être pas aussi implacables et dépourvues de moralité que la loi de la sélection naturelle le laisse entendre. Il faut dire que dans le cas des fous masqués, le prolongement de cette attention ne les met pas en danger, car nous sommes sous des latitudes clémentes. La même chose ne pourrait pas se voir chez les manchots, car la saison de reproduction est courte, limitée par l'arrivée rapide de l'hiver, un impératif saisonnier qui fait chuter la prolactine et l'investissement parental associé.

À court terme, la principale menace pour l'avifaune de Clipperton est l'introduction récente de rats noirs. Plusieurs espèces sont directement menacées par les rats, les plus petites nichant à terre comme les noddis ou les sternes fuligineuses, et celles laissant leurs poussins seuls très tôt comme les puffins ou les pailles en queue. L'impact sur ces espèces est catastrophique, et leur disparition inéluctable à court terme, les rats mangeant les œufs, les jeunes poussins, et même les adultes des petites espèces sur leurs nids. Aucun endroit de l'île n'est à l'abri de leur prédation, pas même les petits îlots du lagon comme l'île Egg. Nous avons été témoins de prédation de nids de sternes fuligineuses au début de la tentative de reproduction. Plus de mille sternes ont alors déserté l'îlot après cet événement.

L'impact des rats sur l'écosystème de Clipperton est donc déjà manifeste. De plus, les rats se nourrissent aussi de jeunes crabes. En limitant la population de crabes, ce qui est déjà constaté, les rats pourraient favoriser le développement d'une certaine couverture végétale comme les cocotiers. Bénéfique à première vue, cette modification pourrait en fait entraîner une couverture de l'île par les cocotiers et à terme la réduction des zones de reproduction des fous masqués qui ont besoin de vastes étendues dégagées pour s'envoler et atterrir. Même sur les plus grandes espèces comme les fous, l'impact des rats pourrait être non négligeable. Il faut, dans un futur assez proche, donner à Michel Pascal, *alias* Ratator les moyens de mener à son terme l'éradication des rats.

Les ornithologues nous rappellent que cette île est un écosystème peu diversifié et fragile : un de mes engagements aujourd'hui est de créer sur Clipperton une station de veille écologique.

CHAPITRE 20

Une passe difficile. Ambiance mexicaine. Surveillance du corail.

Malgré la persistance d'une forte houle et de grosses déferlantes, Janot avait décidé d'embarquer le matériel sur le *Rara Avis* en début d'après-midi. Au retour du deuxième voyage, il s'était fait prendre par le travers et avait failli chavirer. Deux pales d'hélice ayant été cassées sur le corail, le moteur était inutilisable – et le bateau par voie de conséquence. Il ne restait qu'un Bombard valide et la *lancha*. À la sortie suivante, soulevée par un puissant rouleau, la cargaison fut propulsée hors du canot. Heureusement, de bons plongeurs regardaient la manœuvre et sont tout de suite partis à la nage récupérer le matériel qui se faisait malmener sur le corail.

Après dix voyages intrépides, cinq en pneumatique et cinq en *lancha*, une bonne partie du matériel prévu pour être embarqué sur le *Rara Avis* à cette rotation se trouvait à bord. Le réservoir d'azote liquide et la pile à combustible Axane partiraient à la prochaine rotation, dans deux semaines, en espérant que la mer soit plus clémente. Sur le platier de Port-Jaouen, les dix-huit personnes qui allaient embarquer avaient assisté aux passages périlleux et restaient dubitatives : était-il prudent d'aller sur cette grosse mer ?

Janot avait toute ma confiance pour décider d'emmener ou non les équipiers et les passagers en partance sur le *Rara Avis*, au mouillage à un demi-mille de la côte. Discrètement, je demandai à Janot ce qu'il en pensait.

– C'est possible à condition d'y aller doucement, de ne pas

bourrer dans la vague, et que tout le monde se tasse bien au fond des canots. Je vais prendre les bons nageurs dans le pneumatique et les autres iront avec Manue dans la *lancha*.

Janot se tenait la poitrine pour me parler et je devinais qu'il souffrait.

– Tu t'es fait mal ?

– Je crois que je me suis cassé une côte en tombant sur le moteur. Tant que je suis dans l'action, ça va. Il ne faut pas que je me refroidisse, sinon je ne pourrai pas repartir.

Janot invita les premiers passagers à prendre place à bord de la *lancha*. Personne n'avait l'air bien décidé, d'autant que le ciel s'assombrissait et qu'un orage se préparait.

– Allez, il faut partir, dit Janot. Plus on attend, plus la nuit et l'orage se rapprochent. Mettez tous les gilets de sauvetage et surtout tassez-vous bien au fond. Il n'y a pas de soucis, simplement on peut bien décoller sur la vague et retomber lourdement.

Alain Bidart, qui accompagnait de toute sa bienveillance la dizaine de passagers venus nous rendre visite, prit le plus âgé d'entre eux dans ses bras (il avait quatre-vingt-deux ans) et avança le premier. Olivier et Pascal, dans l'eau jusqu'à la poitrine, avaient du mal à stabiliser l'embarcation très secouée par les vagues. Olivier est un bon marin ; élève officier de la marine marchande sur le *Rara Avis*, il était resté sur l'île pour nous donner un coup de main efficace pendant deux rotations. Une fois la dernière personne embarquée, Manue lança le moteur et prit les commandes de la manœuvre. Il fallait impérativement maintenir le canot dans l'axe de sortie. Sur la grève, tous étaient silencieux. Elle laissa passer quatre rouleaux infranchissables ; à chaque fois le bateau se dressait à la verticale et retombait derrière la lame. Tout le monde semblait bien accroché. À un moment donné, Manue décida de s'engager vers les coraux, submergés par une mer écumante. Après trois mois d'expérience, elle connaissait bien l'emplacement de cet endroit précis où il y avait encore assez d'eau quand la mer se retirait. Elle savait aussi qu'elle franchissait le point de non-retour. Au-delà il fallait vite sortir du bouillon tout en résistant à la tentation de filer à vive allure vers le large. De puissantes lames montées du fond pouvaient à tout moment se dresser comme des murailles imprévisibles, capables de faire chavirer le bateau. Après deux déferlantes bien négociées, elle mit les gaz à fond pour sortir du piège. Quand l'embarcation fut en pleine mer, tout le monde leva les bras en guise de victoire : bravo, Manue !

À terre, ce fut un premier soulagement et un réconfort pour la deuxième bordée. Janot se mit aux commandes du canot gonflable et attendit que la houle lui donne le feu vert. Je le voyais se tenir les côtes, il devait avoir mal. J'imagine qu'à bord la situation devait être inquiétante car, vu du platier, le Bombard semblait minuscule face à la lame. Soudain le canot se mit en travers et je vis Janot tirer fébrilement sur le lanceur du moteur : il avait calé ! Mes orteils se recroquevillaient dans les chaussures. Un nuage noir d'échappement signala enfin que le moteur était reparti et le bateau se remit dans l'axe. Puis, le moment venu, Janot négocia le passage avec une belle maîtrise. « Hourra ! Hourra ! » s'écria tout le monde en sautant, les bras au ciel. Ouf, je pouvais enfin souffler. Nous sommes revenus au camp en chantant sous la pluie.

Ce soir-là, l'effectif s'était considérablement réduit, nous n'étions plus que vingt-deux. Nous avons dîné dans un calme inhabituel, jusqu'à ce que l'équipe mexicaine qui venait d'arriver prenne la situation en main avec beaucoup d'énergie, Viviane Solis en tête. Cette femme remarquable conjugue avec élégance les exigences draconiennes de la science – elle est professeur à l'université de Mexico – et une extravagante joie de vivre issue d'un métissage franco-italo-mexicain. Elle sortit les bons ingrédients de son sac : tequila, salsa, décibels, et en avant, que la fête commence ! C'était la première fois depuis le jour de l'an que l'on dansait au bar des Fous, ce qui mettait Elsa en joie. À cette occasion, Janot et Luc Marescot se sont révélés être de très bons danseurs de salsa.

Le lendemain de la « fête au village », il ne fallait pas oublier qu'il y avait encore des sorties en mer pour deux équipes de biologistes : l'équipe mexicaine de Viviane Solis et celle de Mehdi Adjeroud, de l'École pratique des hautes études, associé à Carlos Gonzalez. Il fallait remettre de l'ordre dans le parc nautique après les péripéties de la veille. Le bilan était assez lourd malgré la fiabilité et la solidité exceptionnelles de ces moteurs soumis à rude épreuve depuis le début : deux hélices endommagées et un châssis de 40 chevaux Yamaha éclaté, quand le bateau avait été violemment projeté sur le récif. En une demi-journée, Janot – qui avait effectivement une côte fracturée – et Gérard réussirent à fabriquer un moteur en bon état de marche avec les deux cassés. Le bateau pouvait repartir, mais Janot était « puni à terre » pour une bonne dizaine de jours.

Nous étions prêts cependant à satisfaire nos engagements, à condition que la météo s'améliore. Inquiété par l'évolution du vent et de la houle qui rendait la passe de plus en plus difficile, j'avais interrogé Pierre Lanier, conseiller météo auprès des grandes compagnies pétrolières et célèbre routeur de course au large pour Titouan Lamazou et Olivier de Kersauzon (entre autres). Voici ce qu'il m'avait répondu :

> L'alizé va reprendre, mais rester NNE à NE. Une dépression tropicale est en formation par 06 N-90 W, avec autour des vents inférieurs à 30 kt, et va évoluer lentement vers le W, ce qui te donnera à Clipperton des vents NNE à NE entre 15 et 20 nœuds.

C'étaient de bonnes nouvelles. Ce retour à un alizé de nord-est devrait aplanir la houle et nous faciliter les prochaines sorties en mer. De plus, les coefficients de marée seraient plus favorables. Nous avons décidé de ne rien changer à nos plans de départ.

Le soir, Gérard, qui n'avait jamais arrêté de travailler depuis notre arrivée, m'a demandé un « jour de congé » pour construire sa nouvelle cabane dans les arbres…

Le Dr Jean-Michel Pontier, toujours débordant d'énergie, faisait régulièrement le tour de l'île en courant, tentant de battre le record que détenait Camille : moins d'une heure. Malgré le soleil de plomb et le vent qui soufflait sur la côte, le corps était encore intact quand Jean-Michel Pontier découvrit le cadavre. Sans trace de blessure ni de filet, cette tortue avait dû mourir en mer il y avait peu de temps. Couleur ocre verdâtre, petite tête, bossue au niveau de la nuque, une carapace en forme de cœur avec sept écailles costales : c'était de toute évidence une tortue olivâtre, une espèce très commune dans le Pacifique. Jean-Michel et Viviane Solis remplirent le protocole d'identification et de mensuration des tortues échouées qui nous avait été proposé par le Muséum national d'histoire naturelle. Le *Rara Avis* en rencontrait à chaque voyage entre la côte du Mexique et Clipperton. Elles donnaient toujours l'impression de se laisser nonchalamment porter par le courant marin, mais dès qu'elles apercevaient la coque du navire, elles plongeaient et disparaissaient très vite de quelques coups de nageoires efficaces. Il n'était pas rare d'observer des oiseaux de mer posés sur leur carapace, s'offrant ainsi un repos en plein océan : la tortue a bon dos.

Le vent stabilisé à l'est facilitait à nouveau les sorties en mer des biologistes. Mehdi Adjeroud confirmait que la diversité corallienne était faible, comme pour l'ensemble des espèces. Voici son compte rendu de plongée :

> Nous avons dénombré 12 espèces de corail, alors qu'il y en a 350 en Polynésie et plus de 500 sur la grande barrière de corail en Australie !
> Parmi ces 12 espèces, 2 participent vraiment à la construction du récif dans les premières profondeurs :
> — De 0 à 12 mètres, on trouve surtout *Pocillopora*, en forme de chou-fleur. C'est l'espèce la plus abondante de l'Indo-Pacifique et de l'océan Indien ; elle est par contre absente de l'Atlantique. C'est le principal constructeur de récifs.
> — De 12 à 20 mètres, c'est le genre *Porites* qui domine, formant de grosses structures lobées, arrondies, pouvant atteindre quelques mètres de hauteur, appelées communément « patates ».
> Tout autour de l'atoll, la répartition du corail est homogène, et il est en bonne santé, avec un fort taux de recouvrement :

60 % du fond est occupé par des coraux vivants, entre 20 et 30 % par des algues calcaires (la coralline) qui participent aussi à la construction du récif.

Jean-François Flot, thésard au Muséum, avait même trouvé du « corail qui roule », ce qui est assez rare. Habituellement, les morceaux de corail brisé meurent rapidement, recouverts par les sédiments, ne recevant plus la lumière. Ici, à Clipperton, il a observé de nombreux fragments de corail détachés qui survivent, ce qui peut s'expliquer par la force des courants qui mettent sans arrêt les fragments en mouvement, les exposant ainsi régulièrement au soleil pour réaliser leur photosynthèse.

Malgré la bonne santé apparente du corail et un bon taux de recouvrement des terres immergées tout autour de l'atoll, peut-on dire que cette île, isolée sur l'océan et loin de la civilisation, est menacée de disparaître engloutie sous les eaux ? La réponse est oui. Clipperton est, comme tous les atolls très bas sur l'eau, menacé par le réchauffement climatique. La moindre élévation de quelques dixièmes de degré de la température moyenne à la surface du globe provoque une élévation du niveau des océans par dilatation des eaux de surface. Mais, pour le moment, les coraux en bonne santé réagissent bien et leur croissance est plus rapide que la montée des eaux.

L'inquiétude vient surtout du réchauffement de l'eau au-delà du seuil critique de 30 degrés Celsius, car le corail ne supporte pas les écarts de température, qui doit être environ de 28 degrés. La preuve de cette thermosensibilité est apportée par les années au cours desquelles l'océan Pacifique est sous l'influence du phénomène *El Niño*. Ces années-là, les eaux très chaudes accumulées sur les côtes asiatiques (31 degrés) se dirigent progressivement vers l'Amérique du Sud, provoquant la mort du corail des atolls situés sur leur passage. La partie vivante du corail est une fine couche de cellules entre gris et vert. Après sa mort, il ne reste que le support de carbonate de calcium qu'elles produisent, une craie blanche fluorescente qui apparaît sous l'eau ; c'est ce que l'on appelle le « blanchissement du corail », qui préfigure en général sa mort. Dans le meilleur des cas, le massif crayeux sera recolonisé par les cellules coralliennes qui poursuivront la construction de l'édifice. Dans les eaux proches de la surface, les algues rouges calcaires, appelées aussi corallines, (cf. chapitre 10), peuvent s'y installer et continuer le travail d'édification. Mais si, malheureusement, comme c'est souvent le cas, de banales algues vertes se fixent sur ces blocs de calcaire nus, c'est la fin assurée de la croissance du récif. Des épisodes de blanchissement des coraux d'une intensité exceptionnelle ont affecté les récifs de l'océan Pacifique au cours des dernières décennies, notamment en 1998 et 2002, avec une mortalité dépassant parfois 90 %. Les conséquences de ces phénomènes peuvent être dramatiques, des points de vue tant écologique que socio-économique.

Pour évaluer l'impact des perturbations que subissent les récifs coralliens, qu'elles soient d'origine naturelle (cyclones, *El Niño*) ou la conséquence des activités humaines (pollution, réchauffement climatique…), et estimer les capacités de rétablissement des coraux affectés, les spécialistes délimitent des secteurs de surveillance. Cela consiste à déterminer des zones représentatives qui seront méticuleusement étudiées et régulièrement visitées. Sur Clipperton, Mehdi Adjeroud et Carlos Gonzalez en ont établi deux. Les études portent sur la structure génétique du corail, ses stratégies de reproduction, les processus de dispersion et de recrutement des juvéniles. Les résultats permettent de se prononcer sur la capacité de ces récifs à retrouver leur état initial après des perturbations de grande ampleur, comme les phénomènes de blanchissement.

La majorité des récifs coralliens de la planète sont aujourd'hui sous haute surveillance. Clipperton ne faisait pas partie du réseau, c'est maintenant chose faite. L'atoll est intégré au *Global Coral Reef Monitoring Network* (Réseau mondial de surveillance des récifs coralliens). Cela veut dire aussi qu'il faudra venir périodiquement suivre son évolution. Viviane Solis connaît bien Clipperton pour y avoir organisé plusieurs expéditions grâce au navire océanographique de son université. Elle pourrait assurer un bon relais scientifique au Mexique pour le suivi des coraux de Clipperton.

Alors que j'évoquais ce sujet, Jean-Michel s'approcha et me dit à voix basse :

– À propos de Viviane, il faut que je te parle d'un drôle d'accident de plongée qui lui est arrivé à sa première sortie. En s'approchant du fond pour prélever ses fameux polychètes (vers à écailles dont elle est spécialiste), elle a eu l'extrême malchance de poser son pubis sur un nid d'oursins qui a transpercé sa combinaison. Je peux t'assurer qu'elle est courageuse, car elle a souffert plusieurs jours sans jamais se plaindre.

– Tu les as sortis un par un à la pince ?

– Non, ils sont sortis seuls quand on les a badigeonnés d'Osmogel.

J'aimais bien les histoires du bon Dr Pontier. Cet élève brillant avait été plongeur démineur, médecin-major de l'unité des nageurs de combat (commando Hubert), engagé dans des opérations spéciales à l'étranger et des missions de guerre dans le centre de l'Europe... De ses expéditions guerrières il ne parlait jamais. Cet homme jovial, d'une grande sensibilité, avait décidé de croquer la vie pour venger un dramatique accident qui lui avait enlevé son jeune frère et sa mère à l'adolescence. S'en remettant à la providence, comme tous ceux que la vie a frappés de plein fouet, Jean-Michel était convaincu que la chance qui l'avait guidé jusque-là ne s'arrêterait pas en chemin et le conduirait jusqu'au trésor de Clipperton.

Alors qu'il était en plongée, bravant toutes les règles qu'il connaissait mieux que quiconque, il s'écarta du groupe et, mû par un instinct sûr, descendit seul jusqu'au fond, à 52 mètres. Là, calé dans une anfractuosité du corail, il aperçut un coffre. Il eut un instant d'hésitation avant d'être persuadé qu'il voyait juste. Il se retourna : personne, il était bien seul. C'est à ce moment qu'il crut apercevoir deux autres coffres qui se trouvaient non loin. Son cœur de commando battait fort ; tout ça pour lui, sans témoin, sans personne pour vous dire aussi que vous commencez à perdre la raison. La narcose, autrement dit l'« ivresse des profondeurs », commençait à faire son effet et il avait suffisamment d'expérience pour s'en rendre compte. Le respect des règles de sécurité ne lui accordait que six minutes à cette profondeur. Il tenta d'emmener le premier coffre et le couvercle lui resta dans la main. Il était plein de vieilles concrétions calcaires et de sédiments, si bien qu'il ne vit rien de son contenu. Le coffre resta inamovible malgré tous les efforts que l'on peut encore produire quand, aux limites de l'asphyxie, on tient peut-être la clé d'un mystère entre ses mains. Les six minutes écoulées, il jeta un œil tout autour pour prendre quelques repères et il entama la remontée en tenant le couvercle. Son retour à la surface déclencha un moment d'excitation contrôlée. Didier Noirot, cinéaste sous-marin professionnel, arriva au camp avec le sourire des grands jours.

— Y a du steck, les gars, je vous le dis, le petit docteur est dans tous ses états.

Quand Jean-Michel fut revenu au camp, tout le monde se précipita vers lui. Assis dans la remorque du quad, le couvercle de sa découverte posé sur les genoux, il semblait encore sous le coup d'une illumination. On l'invita à venir au bar des Fous raconter l'histoire. Il déposa le « Saint Sacrement » sur la table et s'assit.

Nous n'allions pas en rester là. Stéphane Millières, directeur de Gédéon Programmes qui produisait la série de documentaires pour Canal+, fut informé sur-le-champ. Passionné d'archéologie, il réagit tout de suite en proposant de nous envoyer par bateau des moyens supplémentaires de tournage sous-marin. On organisa un petit conseil de guerre avant de déclencher les grandes manœuvres. Il fallait d'abord revisiter le site. Jean-Michel confirmait la profondeur, 52 mètres, qu'il se souvenait fort bien d'avoir vérifiée. La position était plus aléatoire, estimée d'après l'emplacement du canot de surface mouillé sur le récif ; Janot avait une bonne mémoire du lieu et pensait pouvoir y revenir sans problème.

Le couvercle du coffre passait de main en main, et tout le monde s'accordait sur la fabrication récente de l'objet. De toute évidence, il ne s'agissait pas d'une prise de galion du XVIe siècle !

Sur sa carte marine qu'il déplia sur la table, Jean-Michel avait positionné deux épaves, celles du *Kinkora* et du *Nokomis,* coulés il y avait à peine plus d'un siècle ; il avait sûrement prémédité son coup. Au-delà de la valeur historique de l'objet, cette découverte le confortait dans cette certitude qui l'aide à vivre et qui se vérifie toujours : quand on ouvre la voie, la vie se charge de faire le reste pour vous.

CHAPITRE 21

Le trésor de Clipperton.
Passage du *Prairial*. Le départ.

L'histoire dit que M. Clipperton serait venu sur cet îlot cacher un trésor à l'abri de tous les regards. Mais qui était donc ce fameux Clipperton ?

Dans un livre[1] très documenté paru récemment, Hubert Juet, qui a travaillé pendant vingt ans sur les archives, a trouvé sa trace dans les récits d'expéditions des corsaires anglais.

John Clipperton navigua à deux reprises dans l'est du Pacifique Nord. Une première fois en 1704, en compagnie de Dampier, célèbre flibustier dont il était l'officier. À la suite d'une altercation entre les deux hommes, Clipperton déroba une prise de galions et s'enfuit au nord pour se réfugier dans la baie de Salinas. De là il fit route vers les Philippines, qu'il atteignit en un temps record, cinquante-quatre jours, un exploit qui fit sa renommée. La deuxième fois en 1721. Il naviguait entre Acapulco et les îles mexicaines Revillagigedo, à l'affût des galions en provenance des Philippines. Sans résultat au bout de quelques semaines, il décida de repartir une nouvelle fois vers Manille. Dans les deux cas, les routes directes qu'il avait empruntées pour aller vite passaient entre 300 et 400 milles au nord de ce qu'on appela longtemps l'île de la Passion.

S'appuyant sur son travail d'historien, Hubert Juet est convaincu que Clipperton n'est jamais venu sur ce bout de terre qui porte aujourd'hui son nom. On ne peut cependant

---

1. Hubert Juet, *Clipperton, l'île de la Passion*, Thélès, 2004.

pas écarter l'hypothèse que des galions chargés d'or et de matières précieuses, naviguant entre Acapulco et Manille, se soient échoués sur cette île basse. Ayant eu vent de l'affaire, John Clipperton aurait ébruité le secret qui, de bouche à oreille, serait devenu la rumeur du trésor de Clipperton. Autre hypothèse : après l'échouage d'un galion, la cargaison précieuse aurait pu être sauvée et transportée à l'abri sur l'atoll.

Si ce trésor a réellement existé, celui qui l'a découvert ne s'est jamais manifesté, car on a du mal à croire qu'il puisse être encore caché quelque part sur ce vieux sol corallien impénétrable.

Le coffre découvert par Jean-Michel Pontier était bien trop récent pour appartenir à un de ces galions. Afin de l'expertiser, des photos avaient été adressées au centre de recherches d'archéologie sous-marine de Marseille, et le couvercle lui-même au musée maritime d'Acapulco, où il est d'ailleurs jalousement conservé. D'après les spécialistes, ce pourrait effectivement être une pièce du *Kinkora* (1897) ou du *Nokomis* (1914). Restait encore à identifier le contenu du coffre et la nature des pièces environnantes observées par Jean-Michel.

Pendant quinze jours, dès que le temps le permit, Didier, Janot, Jean-Claude et Jean-Michel plongèrent successivement sur la zone sans jamais trouver le moindre indice qui aurait pu les conduire à l'endroit précis de la découverte. Heureusement, Jean-Michel avait ramené une pièce à conviction à la surface, sinon nous aurions parlé d'hallucination ou de mythomanie. Le trésor de Clipperton reste toujours un mystère, à moins qu'il ne soit qu'une légende inventée par le capitaine du *Kinkora* lui-même : pour maintenir le moral de ses hommes après son échouage sur le récif, il les encourageait à chercher ce fameux trésor.

Aujourd'hui le GPS et les radars de bord permettent de localiser précisément la position des bateaux et des côtes avoisinantes, si bien que la majorité des échouages actuels sont en général liés à des problèmes mécaniques. Les épaves récentes du bateau costaricain et du *Lily Mary* témoignent cependant de la dangerosité des côtes de Clipperton.

Le *Prairial* de la Marine nationale, arrivé en début de matinée, croisait à un mille au large du récif pour rester opérationnel en cas d'avarie. Cette frégate vient tous les deux ans pour surveiller la zone, rafraîchir les marques de souveraineté et officialiser la territorialité française par la cérémonie des couleurs. Nous avions convenu avec la Marine que le *Prairial* participerait à l'opération de nettoyage de Clipperton en emportant dans ses soutes les sacs de matière plastique ramassés par Gérard et nos deux écovolontaires, Pascal et Marion, une fille joviale et de bonne compagnie, qui après une licence de biologie se destinait aux métiers de l'environnement. Pour l'embarquement des sacs, qui faisaient en moyenne 100 kilos et 2 mètres cubes, le commandant dépêcha à terre une partie de son équipage qui nous donna un sacré coup de main. Dans la matinée, Manue, Janot et Benoît transportèrent une vingtaine de sacs, deux ou trois à chaque fois.

Benoît, élève officier de la marine marchande sur le *Rara Avis*, avait passé la dernière rotation avec nous. À la fin de la matinée, il nous conduisit sur le *Prairial*, où le commandant m'avait invité à déjeuner. Elsa, Luc et Jean-Baptiste, de l'équipe cinéma, s'étaient joints à nous. La mer était assez calme, mais la houle faisait monter et descendre notre embarcation de quelques mètres le long de l'échelle de corde qui pendait sur la coque du bateau, et il ne fallait pas louper la marche. Je venais avec un sac d'un autre type, qu'un marin hissa à bord en bout de corde.

Le commandant nous accueillit à la coupée et il nous invita à le suivre dans la coursive.

– S'il vous plaît, commandant, j'ai un sac pour vous qu'il ne faudrait pas laisser traîner. Vous êtes au courant ?

– Oui, bien sûr. Vous parlez des fameux paquets ?

– C'est ça.

– Le haut-commissariat de la République à Tahiti m'a demandé de les mettre dans le coffre et de les ramener à Papeete.

Il fit mine de le prendre et se tourna vers moi.

– Mais c'est bien lourd ! On m'avait parlé de 5 kilos.

– C'est exact, mais c'était en janvier, au moment de ma déclaration. Depuis, nous en avons trouvé d'autres. Il y a 25 kilos !

Il demanda à un marin de l'emmener au coffre.

À l'intérieur du bateau il faisait 20 degrés, ce qui nous parut presque froid. Un déjeuner nous fut agréablement servi au mess des officiers et, à la fin du repas, un aspirant vint me remettre le sac vide.

– Si vous avez l'intention de le ramener dans vos bagages, je vous conseille de bien le laver car vous allez faire hurler les chiens à la douane ; il suffit de pas grand-chose pour qu'ils le sentent.

– Vous avez l'air bien au courant !

– J'ai été affecté au bateau pour un stage au service de surveillance du narcotrafic.

– Vous avez une idée de la provenance des paquets qui s'échouent sur Clipperton ?

– Ils sont certainement jetés à l'eau quand les trafiquants sont épinglés en mer. Pendant votre séjour, vous avez eu des visiteurs ?

– Oui, une famille américaine en voilier qui se dirigeait vers les Marquises et, bien sûr, les pêcheurs des gros thoniers.

– Vous avez eu le sentiment de les déranger ?

– Difficile de répondre, mais de toute évidence on les a intrigués. Vous êtes juriste ?

– Non, je suis un élève de l'École polytechnique en stage sur le *Prairial*.

Un ordre général fut diffusé à bord pour demander d'évacuer la plage arrière du navire car les vols d'hélicoptère allaient débuter. Nous avions vingt-deux sacs regroupés sur la côte au vent et le commandant avait accepté de les hélitreuiller. En fin d'après-midi, les derniers sacs furent amenés par des navettes de *lancha* et de canot. Cela faisait en tout cinquante-deux sacs, soit environ 5 tonnes et un volume de 100 mètres cubes ; la soute arrière de la frégate était pleine. À l'escale de Manzanillo, ils ont été mis en conteneur et acheminés à Pointe-à-Pitre, où Eco Emballage a pris en charge le recyclage, l'occasion d'un programme éducatif sur la pollution des océans et le tri sélectif.

Le *Prairial* devait rester sur zone le lendemain et j'invitai le commandant à déjeuner. Jean Garcin, notre quatrième chef cuisinier, était heureux de cette initiative. Jean s'était porté candidat pour venir un mois sur Clipperton, après qu'il avait vendu son restaurant gastronomique de Beaune. C'était un amoureux de la cuisine française et du respect du protocole. Il m'appelait avec délectation « docteur », ou « monsieur », ou « Jean-Louis », toujours en me vouvoyant ; Elsa était « Mam Étienne » ! Le « Pacha » au bar des Fous, c'était un événement que Jean avait à cœur d'honorer ; il avait mis les petits plats dans les grands et pris en main le protocole.

– Docteur, comme vous n'êtes investi d'aucun pouvoir par l'État, le commandant du *Prairial* sera donc le représentant de la France et, à ce titre, présidera le déjeuner. Il sera placé ici.

– Bien, chef.

– Vous serez à sa droite et Mam Étienne à sa gauche.

J'adorais être ainsi pris en charge : ça évitait de faire des impairs et de rester les bras ballants autour de la table sans trop savoir où placer ses convives.

– Jean, à quel moment dois-je placer le discours de bienvenue ?

– Je suis désolé, mais c'est le commandant qui prendra la parole en premier sur votre invitation, quand vous aurez obtenu le silence dans la salle.

Ce ne fut pas le plus difficile car l'équipe connaissait encore la discipline, nous n'avions pas eu à affronter de mutinerie. Par contre, presque tous avaient pris des distances avec le protocole et les usages du monde ; il ne fallait pas trop en demander à certains flibustiers qui gloussaient de tout ce tralala qui ravissait Jean.

Le commandant était un homme charmant, au contact très amical, et tout se déroula dans la bonne humeur, le plus simplement du monde. Il dit combien il était touché par notre invitation et je conclus en remerciant la Marine de sa contribution à notre programme écologique.

Jean était un bon chef et un homme cultivé, curieux de tout. La cuisine et ses abords étaient envahis par les crabes rouges, plus que partout ailleurs dans le camp : on les comptait par centaine. Pratiquement à chaque repas, ils nous pinçaient plusieurs fois les orteils, ce qui faisait toujours sursauter. Jean était intéressé de savoir s'il avait affaire à des « habitués » ou à des « clients de passage ». Un de nos spécialistes les disait inféodés à une galerie et sédentaires, mais Jean, pour en avoir la certitude, les avait nommés en inscrivant leur nom au marqueur sur le dos : Janot, Gérard, Elsa, Jean-Louis... Une fois tous les noms épuisés, il leur mit des chiffres. Et c'est ainsi qu'on vit Janot se promener du côté de la stèle à 200 mètres du bar des Fous, je me suis vu en crabe errer du côté du labo humide... Ces décapodes ont de toute évidence un plus large rayon d'action qu'on ne le pense. D'après les récits des précédentes décennies, il semblerait que la colonie soit en régression ; la faute aux rats ?

L'expédition touchait à sa fin. Bernard Garibal et David étaient revenus sur l'île pour nous aider à démonter le camp. Le *Rara Avis* était reparti, ramenant à Acapulco les derniers scientifiques et un gros chargement. Heureusement que nous avions trouvé un hangar sur le port, suffisamment grand pour qu'un conteneur de 40 pieds puisse y entrer ! Je m'étais engagé à tout ramener, à ne rien laisser de notre passage. Mais que faire des cabanes en bois, du bar des Fous ? Cette question, je me l'étais posée mille fois. Fallait-il les démonter et ranger les planches pour de prochaines expéditions ? Ce n'était pas une solution car, empilées les unes sur les autres, leur bois pourrirait très vite. Je ne pouvais me résigner à l'idée de tout brûler. Il fallait donc laisser les constructions en place. On fit des ouvertures sur les murs en enlevant quelques planches de bardage pour diminuer la prise au vent.

Le dernier soir, on alluma un grand feu avec tout ce qui ne repartirait pas. On était là comme pour célébrer la Saint-Jean. Sam donnait le ton avec son accordéon et tout le monde chantait. Ulysse, qui avait appris à marcher sur l'île pour son premier anniversaire, frappait dans ses mains en regardant les flammes. Elliot passait sur les genoux des uns et des autres ; c'était plaisant de voir qu'après quatre mois de vie communautaire ce petit garçon de trois ans était déjà sociable et autonome. Elsa était de l'autre côté du feu, et quand nos regards se sont croisés, je n'ai pu m'empêcher d'aller la serrer dans mes bras. Les yeux dans les yeux, la même phrase nous vint spontanément à la bouche : « On l'a fait ! » Nous avions été complices et connaissions les difficultés qu'il avait fallu traverser pour que cette expédition existe et qu'elle se déroule avec la plus grande facilité apparente. Nous sommes restés encore un moment, jusqu'à ce que le feu commence à baisser.

Le matin avant le lever du jour, je suis allé marcher sur le chemin, pour passer encore un peu de temps seul avec Clipperton. En vivant sur cette petite île, je m'étais rendu compte que la mer ne se reposait jamais. Tous les vents s'appuyaient sur elle sans relâche. Jour et nuit, les grandes ondulations du large s'écrasaient dans un grondement ininterrompu d'avalanche. Heureusement, le récif-barrière tenait à distance ces murailles d'eau qui se dressaient face à nous à chaque train de vagues. À l'approche des grandes marées d'équinoxe, elles étaient devenues de plus en plus hautes et l'effondrement de ces cataractes sur le platier faisait vibrer la cabane de tremblements sourds. Depuis que je ne vivais plus seul, il m'arrivait parfois d'être réveillé par la peur : qu'allait-il se passer si une déferlante plus grosse que les autres soulevait la maison ?... Je comptais les vagues et, après la septième, en général tout se calmait et je me rendormais.

Ici, j'ai eu parfois le sentiment que les vagues nous tenaient en otages. Comme un chien de berger, elles nous aidaient à entrer dans la passe, puis, une fois dedans, nous empêchaient de sortir. Leur puissance était un spectacle dont je ne me suis jamais lassé.

Le jour pointait et je m'assis sur un tronc de cocotier couché à terre. En regardant vers le large, la chair de poule m'envahit devant cette scène millénaire que jouent depuis l'éternité le soleil, les oiseaux, la mer et le vent. Clipperton, quand tu nous tiens !

Il fallait partir. Jean préparait le dernier café et on allait entrer dans l'excitation collective du départ. Le *Rara Avis* nous attendait au mouillage pour cet ultime voyage. Jean-François Coste, un ami de longue date, était aux commandes du trois mâts. Nous avons pris une dernière fois la route de Port-

Jaouen ; on aurait cru une caravane en exode. Ce n'était pas une expédition que je venais de vivre, mais une tranche de vie en apesanteur du monde.

Demain, je prendrais mon bâton de pèlerin pour que Clipperton devienne une sentinelle de l'océan.

Liste des chercheurs et techniciens de recherche qui ont séjourné sur Clipperton.

ADJEROUD Mehdi
 École Pratique des Hautes Études (EPHE), Perpignan.
 Étude des coraux de l'atoll de Clipperton.
 Mise en place d'une station de surveillance.

ALBENGA Laurent
 MNHN, Paris.
 Technicien de collection.
 Collecte d'échantillons sous-marins pour le Muséum.

ALONSO SOLIS Francisco
 Universidad Nacional Autonoma de Mexico (UNAM), Mexique.
 Échinoderme (étoiles de mer, holoturies, oursins, ophiures).

AMADE Philippe
 CNRS/INSERM, Laboratoire de chimie bio-organique de Nice.
 Recherche de substances bio-actives (antitumorales) dans les organismes benthiques de l'atoll de Clipperton.

ATTAL Michaël
 Université Joseph-Fourier, Grenoble.
 Laboratoire de géodynamique.
 Géologie.

BALLANCE Lisa
 NOAA, San Diego, Californie.
 Écologie, ornithologie (taxonomie, télémétrie).

BÉAREZ Philippe
 MNHN/CNRS, Paris.
 Écologie et gestion de la biodiversité. Archéozoologie

Bost Charly
    CEB, Chizé, CNRS.
    Ornithologie (écologie, télémétrie, régime alimentaire).

Bouchard Jean-Marie
    Septième Continent.
    Carcinologie, collecte d'échantillons sous-marins pour le Muséum.

Butscher John
    Technicien-plongeur IRD, Nouméa.
    Carottage dans le corail.

Calmant Stéphane
    LEGOS/CNES – IRD/Observatoire de Midi-Pyrénées.
    Géophysique et océanographie spatiale.
    Installation d'un marégraphe. Tectonique des plaques.

Charpy Loïc
    IRD
    Cyanobactéries, océanographie biologique.
    Biochimie des eaux du lagon.

Corrège Thierry
    IRD
    Paléoclimatologie tropicale.
    Le contexte paléoclimatologique de Clipperton.

Couté Alain
    MNHN, Paris.
    Systématique botanique.
    Algues toxiques. Inventaire botanique de Clipperton.

De Equilior Trinxet Carlos
    Biologiste-plongeur, Espagne.

Dugrais Lætitia
    Technicienne en océanographie.
    Collecte d'échantillons sous-marins pour le Muséum.

Elifantz Hila
    Microbiologie.
    College of Marine Studies.
    University of Delaware, USA.

FLOT Jean-François
  MNHN, Paris.
  Département systématique et évolution.
  Thèse sur le corail.

FOULQUIÉ Mathieu
  Biologiste-plongeur, Sète.
  Expert en biologie et écologie marine littorale.

GARROUSTE Romain
  MNHN/CNRS, Paris.
  Écologie et gestion de la biodiversité.
  Inventaire des arthropodes terrestres.

GONZALEZ Carlos
  EPHE/Université du Yucatan, Mexique.
  Étude des coraux de l'atoll de Clipperton.
  Mise en place d'une station de surveillance.

GUILLOT Antoine
  INSU/CNRS, Brest.
  Division technique.

HERMOSO SALAZAR Anna Marguerita
  Universidad Nacional Autonoma de Mexico (UNAM), Mexique.
  Thèse à l'Institut des sciences de la mer.

HERVÉ Christophe
  MNHN, Paris.
  Arachnologie.
  Diversité et structure des peuplements d'arthropodes de Clipperton.

HORCAJADAS Santiago Bueno
  Biologiste-plongeur, Espagne.

HOURDEZ Stéphane
  CNRS et station biologique de Roscoff.
  Inventaire des espèces d'annélides rencontrées dans le lagon et le récif de l'île de Clipperton. Relations avec la faune abyssale.

INEICH Ivan
  MNHN, Paris.
  Département systématique et évolution (reptiles).

Herpétologie.
Le peuplement herpétologique de Clipperton : composition, écologie et conservation.

KAISER Kirstie
Puerto Vallarta, Mexico.
Crustacés.

LEBARON Philippe
Université Paris VI et CNRS.
Microbiologie.
Laboratoire d'océanographie biologique de Banyuls-sur-Mer.
Réseaux trophiques microbiens et biodiversité bactérienne de Clipperton.

LE CORRE Mathieu
Université de la Réunion. Laboratoire d'écologie marine (ECOMAR).
Écologie des oiseaux marins de l'île de Clipperton.
Relations avec le milieu marin et les pêcheries.

LORVELEC Olivier
INRA, Rennes.
Gestion des espèces invasives, biologie de la conservation et écosystèmes terrestres de l'île de Clipperton.
Gestion des populations de mammifères allochtones.

MENOU Jean-Louis
IRD, Nouvelle-Calédonie.
Biologiste-plongeur.

OURBAK Timothé
Université de Bordeaux.
Département géologie et océanographie.
Paléocéanologie et paléoclimat.

PASCAL Michel
INRA, Rennes.
Gestion des espèces invasives, biologie de la conservation et écosystèmes terrestres de l'île de Clipperton.
Gestion des populations de mammifères allochtones.

PAYRI Claude
UMR/CNRS/IRD, Nouvelle-Calédonie.
Algues rouges.
Évaluation de la biodiversité de Clipperton.

PITMAN Robert
    NOAA, San Diego, Californie.
    Écologie, ornithologie (taxonomie, télémétrie).

POUPIN Joseph
    Institut de recherche de l'École navale, Brest.
    Groupe systèmes d'information géographique.
    Carcinologie, crustacés décapodes (bernard-l'ermite).
    La faune carcinologique de Clipperton et ses affinités dans le Pacifique tropical.

RODIER Martine
    IRD, Nouvelle-Calédonie.
    Cyanobactéries marines. Océanographie chimique et biologique.
    Chimie des eaux du lagon.

SÉRET Bernard
    IRD/MNHN/CNRS, Paris.
    Département systématique et évolution.
    Taxonomie et collection.
    Ichtyologie (requins).

SOLIS-WEISS Viviane
    Chef de laboratoire écologie cotière, Institut des sciences de la mer et Universidad Nacional Autonoma de Mexico (UNAM), Mexique.

WEIMERSKIRCH Henri
    IRD/CNRS/CEB, Chizé.
    Ornithologie (écologie, taxonomie, télémétrie).

Liste des oiseaux observés sur Clipperton.

Observations faites en janvier, février et mars 2005 par Henri Weimerskirch, CNRS Chizé, Mathieu Le Corre, ECOMAR, université de la Réunion, Charles-André Bost, CNRS Chizé, Lisa Ballance et Robert Pitman, NOAA San Diego, États-Unis.

Reproducteurs (12 espèces)

Fou à pieds rouges *(Sula sula)* : 700 individus.
Fou brun *(Sula leucogaster)* : 5 000 individus.
Fou masqué *(Sula dactylatra)* : 100 000/120 000 individus.
Foulque américaine *(Fulica americana)* : > 60 individus.
Frégate du Pacifique *(Fregata minor)* : 3 couples (2 500 individus en janvier et 1 500 en mars).
Gygis blanche *(Gygis alba)*, pas de reproduction en cours : > 5 individus.
Noddi brun *(Anous stolidus)*, pas de reproduction en cours : > 400 individus.
Noddi noir *(Anous minutus)*, pas de reproduction en cours : ?
Paille en queue à brins rouges *(Phaethon rubricauda)* : 10 individus.
Poule d'eau *(Gallinula chloropus)* : > 50 individus.
Puffin du Pacifique *(Puffinus pacificus)* : 3 couples.
Sterne fuligineuse *(Sterna fuscata)*, tentative de reproduction en mars : > 1 000 individus.

Visiteurs observés pendant le séjour (24 espèces)

Aigrette neigeuse *(Egretta thula)* : > 10 individus.
Balbuzard pêcheur *(Pandion haliaetus)* : 1 individu.
Bécassine sp. *(Gallinago sp.)* : 1 individu.
Bernache du Canada *(Branta canadensis)* : 1 individu (présente de janvier au 24 mars).
Canard pilet *(Anas acuta)* : 20 individus.
Canard siffleur américain *(Anas americana)* : 10 individus.
Canard souchet *(Anas clypeata)* : > 34 individus.
Chevalier errant *(Heteroscelus incanus)* : 20 individus.
Chevalier solitaire *(Tringa solitaria)* : 1 individu.
Faucon des prairies *(Falco mexicanus)* : 1 individu.
Frégate magnifique *(Fregata magnificens)* : < 5 individus.
Grand héron bleu *(Ardea herodias)* : > 5 individus.
Héron garde-bœuf *(Bubulcus ibis)* : > 20 individus.
Hirondelle de cheminée *(Hirundo rustica)* : 2 individus.
Limnodrome gris *(Limnodromus griseus)* : > 5 individus.
Mouette atricile *(Larus atricilla)* : > 120 individus.
Oie rieuse *(Anser albifrons)* : 7 individus.
Petit fuligule *(Aythya affinis)* : 10 individus.
Pluvier argenté *(Pluvialis squatorala)* : 4 individus.
Pluvier doré *(Pluvialis fulva)* : 2 individus.
Sarcelle à ailes bleues *(Anas discor)* : > 60 individus.
Sarcelle d'hiver *(Anas crecca)* : 5 individus.
Talève violacée *(Porphyrula martinica)* : 1 individu.
Tournepierre à collier *(Arenaria interpres)* : 5 individus.

Remerciements

Mes expéditions sont toutes des histoires originales, commandées par un profond désir d'aventure. Ces missions sont depuis vingt ans bâties sur une attirance personnelle pour les sciences de la Vie et de la Terre, la technologie, et le partage pédagogique. Ce sont des initiatives singulières qui échappent à toutes les normes des missions pilotées par des organismes d'État, et aux aventures sportives dont les enjeux héroïques tiennent les médias et le public en haleine.

La plus-value de ces expéditions repose sur l'aventure et le caractère scientifique et éducatif, des valeurs reconnues et partagées par tous les publics et qui, à force de persévérance, intéressent aujourd'hui des partenaires fidèles dont je voudrais louer la générosité et la vision à long terme du besoin d'investir dans tous les domaines de l'éducation à l'environnement et au développement durable.

Cette expédition a été réalisée grâce au soutien financier des partenaires principaux Gaz de France et Unilever, et Canal + pour la télévision, la contribution technique et financière d'Éco Emballage, Air Liquide, Saft, EADS Astrium, Axane, et les partenaires audiovisuels France Info et Gédéon Programmes.

Les chercheurs du CNRS, de l'IRD, du Muséum national d'histoire naturelle et de l'EPHE, ont pu réaliser leur programme grâce aux partenaires de l'expédition, du WWF, du laboratoire Pierre-Fabre et du partenaire historique de ces institutions, la Fondation Total.

Le programme éducatif a été conduit grâce à l'implication de l'Éducation nationale et des enseignants.

Je remercie tout particulièrement ma femme Elsa, qui cumule courageusement les fonctions d'épouse, de mère de famille, de collaboratrice à plein temps pour la coordination avec les partenaires et les médias, et d'éditrice. Elle a écrit et illustré à destination des enfants « Les Aventures d'Elliot et Basile à Clipperton » coédité par les Éditions du Seuil et Septième Continent.

Jean-Louis Étienne

Table des matières

CHAPITRE 1
Le conteneur a disparu. La *lancha*.
Départ de Manzanillo.. 9

CHAPITRE 2
Arrivée sur Clipperton. Recherche d'une passe. 18

CHAPITRE 3
Débarquement du matériel. Largage du bois.
Radeau sur le lagon. 29

CHAPITRE 4
Installation du camp. On a retrouvé le conteneur. 38

CHAPITRE 5
Arrivée de la famille. Sélection des médecins.
Noël à Clipperton. 46

CHAPITRE 6
Ratator et les rats de Clipperton. 56

CHAPITRE 7
Énergie solaire et éolienne. 66

CHAPITRE 8
Une mission d'inventaire naturaliste. Jour de l'an. 74

CHAPITRE 9
Tsunami. Une île vivante. Montée des eaux. 81

CHAPITRE 10
Biodiversité sous-marine. Intérêts des inventaires. 87

CHAPITRE 11
    Le guano. Exploitation du phosphate.
    Les oubliés de Clipperton.. 95

CHAPITRE 12
    Clipperton, une île française. Arbitrage par le Roi d'Italie.
    Que faire de cette possession ?. 106

CHAPITRE 13
    Drogues et thoniers. 117

CHAPITRE 14
    Matin sur l'atoll. Maire de Clipperton.
    Chef d'expédition. 124

CHAPITRE 15
    Exploration du « trou sans fond ».
    Étude chimique et bactériologique. 132

CHAPITRE 16
    Réchauffement climatique. Effet de serre.
    Solutions énergétiques. 143

CHAPITRE 17
    Instituteur du bout du monde.
    Visioconférences. Peintre naturaliste. 153

CHAPITRE 18
    Le lézard de Clipperton. Bernard-l'ermite.
    Molécules sous-marines anticancéreuses. 163

CHAPITRE 19
    Les ornithologues et les fous.
    La menace de la surpêche. 170

CHAPITRE 20
    Une passe difficile. Ambiance mexicaine.
    Surveillance du corail.. 182

CHAPITRE 21
    Le trésor de Clipperton. Passage du *Prairial.*
    Le départ. 192

Liste des chercheurs et techniciens de recherche qui ont
séjourné sur Clipperton. 201

Liste des oiseaux observés sur Clipperton. 207

Crédits photographiques

© Jean-Louis Étienne : pages 1, 2, 32 (bas).

© Elsa Étienne : pages 13 (bas), 27 (haut et gauche), 30 (haut).

© Jean-Baptiste Benoît : page 3 (haut).

© Jean-Michel Bompar : pages 3 (bas), 13 (haut), 16 (bas), 18, 21 (milieu et bas).

© Bernard Garibal : pages 4 (haut), 14 (haut).

© Xavier Desmier : pages 4 (bas), 5, 7, 10, 12, 15 (haut), 16 (milieu), 19 (haut et bas), 21 (haut), 22, 23, 24, 25 (haut), 28 (bas), 31 (bas).

© Camille Fresser : pages 6, 9 (bas), 15 (bas), 16 (haut), 17, 19 (milieu), 20, 25 (bas), 27 (haut, droite et bas), 28 (haut), 29 (haut), 30 (bas), 31 (haut), 32 (haut).

© Alain Bidar : pages 8, 11, 29 (bas).

© Janot Prat : pages 9 (haut), 14 (bas), 26.

© Philippe Lebaron : page 28 (milieu).

Partenaires principaux

Partenaire télévision

Contributions techniques et financières

Partenaires audiovisuels

RÉALISATION : PAO ÉDITIONS DU SEUIL
IMPRESSION : NORMANDIE ROTO IMPRESSION S.A.S. À LONRAI
DÉPÔT LÉGAL : OCTOBRE 2005. N° 84566 (05-2399)

Imprimé en France